Daniel BERNARD

DÉCOUVRIR L'INDRE

LE PARC-HORVATH

A Silvain et Delphine,
pour parcourir le pays
de nos racines

Nous tenons à remercier le Comité départemental de
Tourisme de l'Indre, le CAUE de l'Indre, ainsi que les
personnes ou organismes qui ont permis la réalisation
de cet ouvrage.

Traduction des légendes
Anglais : Chris FLOWER
Allemand : Marianne SCHLUDE

Crédit photographique :

CAUE de l'Indre, Studio Gesell
Gérard Coulon, Daniel Dufour, Gilles Couagnon,
Alain Nevière et Daniel Bernard

Situé à la périphérie du Bassin Parisien, au contact du Massif Central, le département de l'Indre doit son nom à la paisible rivière qui le traverse en serpentant du sud-est au nord-ouest sur une distance de 140 km.

En 1990, 237 666 Indriens se répartissaient sur les 6 790 km^2 de ce territoire divisé en 247 communes, 26 cantons et 4 arrondissements.

L'histoire rappelle que depuis un siècle, l'attrait urbain et le transfert des ruraux vers la cité constituent un élément marquant de la démographie : en ce Bas-Berry, le maximum de population (296 147 habitants) a été atteint en 1886.

Si, par le décret du 22 décembre 1789, l'Assemblée Constituante crée les structures départementales, il faut attendre celui du 15 janvier 1790 pour que la généralité de Bourges donne deux départements, l'Indre et le Cher. Après de nombreux réajustements de territoires avec les provinces voisines (Orléanais, Blésois, Touraine, Marche, Limousin, Poitou, Bourbonnais et Nivernais), Indre et Cher naissent définitivement de l'application du décret du 4 février 1790. Cette division respecte approximativement la séparation entre Haut et Bas-Berry : les deux départements berrichons ayant été créés dans les limites de l'ancienne civitas des Bituriges dont la province de Berri fut l'héritière.

Par un décret du 16 février 1790, le siège du chef-lieu du département avait été fixé provisoirement à Châteauroux, le conseil général devant délibérer par la suite s'il convenait de le transférer à Issoudun. Mais en juin 1790, par un vote de l'assemblée électorale départementale, Châteauroux, deuxième ville du

Châteauroux : préfecture de l'Indre. (Cl. CAUE).
Châteauroux : prefecture of the Indre.
Châteauroux : Die Präfektür von Indre.

3

*Issoudun : une ville en plein essor au cœur de
la Champagne berrichonne (Cl. CAUE).
Issoudun : a fast expanding town in the
Berry Champagne.
Die weitläufige Stadt Issoudun, im Herzen
von Berry Champagne.*

département par sa population, devient chef-lieu définitif de l'Indre. Ce fut le début d'une longue tension entre ces deux cités, tension qui n'a pas totalement disparu depuis deux siècles.

Borné au nord par le Loir-et-Cher, à l'est par le Cher, au sud par la Creuse et la Haute-Vienne et à l'ouest par la Vienne et l'Indre-et-Loire, le département de l'Indre s'intègre dans la région Centre depuis l'application du décret du 2 juin 1960 mettant en place des circonscriptions d'action régionale. Mais par sa situation géographique et ses difficultés, le département de l'Indre a bien souvent l'impression d'être en marge de ce "Cœur de France" dont il constitue cependant un pôle touristique non négligeable.

"Paisible et sauvage, médiéval et romantique", terre de nuances et de contrastes, l'Indre demeure un pays attachant, souvent secret, qu'il faut découvrir en s'attardant dans les chemins creux du bocage, au bord des étangs de Brenne ou dans les grands horizons champignous...

Région aux paysages variés, dotée d'une histoire et d'une culture riches, le pays de la Dame de Nohant possède aujourd'hui un patrimoine étendu et des milieux naturels dont la mise en valeur peut assurer l'avenir.

Promouvoir le tourisme et créer de multiples possibilités d'accueil apparaissent comme un moyen de développement intéressant et nécessaire dans cette contrée où les campagnes se dépeuplent, où le tertiaire joue certes un rôle déterminant mais où l'industrialisation n'est pas en mesure d'offrir un nombre suffisant d'emplois.

Mais oublions les contraintes de l'économie et partons à la découverte de ce Bas-Berry, terre d'inspiration de George Sand, de Balzac, de Maurice Rollinat ou de Raymonde Vincent...

4

Ses paysages variés servent d'écrin à une multitude d'églises, de manoirs et de châteaux ; ses villes et ses villages s'animent plus encore durant la belle saison, lors de festivals et manifestations culturels de qualité.

Si Châteauroux et Issoudun, pôles urbains du département se modernisent et restent les lieux privilégiés du développement économique et culturel, les campagnes environnantes permettent le tourisme vert sous ses multiples attraits.

Des étangs brennous entrevus au levant lorsque les oiseaux lancent leur premier trille au bocage boischautin où résonnent encore la musette de *Joset l'ébervigé* ou les accords du piano de Chopin vers Nohant, du pays de Gâtines de Valençay aux rives de la Creuse annonçant le Massif Central, des étendues de blés blonds de Champagne berrichonne aux horizons bleutés de la Vallée Noire, l'Indre se livre à qui sait le regarder.

RICHESSES ET DIVERSITE DES MILIEUX NATURELS

"Dans le département de l'Indre, rien n'attriste les convulsions de la nature ; il semble être sorti de ses mains sans travail et sans efforts.
Nulle montagne élevée, nulle vallée profonde : les rivières et les ruisseaux qui serpentent à travers les vallées, promènent plutôt leurs eaux qu'ils ne les roulent".
Cette description du préfet Dalphonse de 1804 traduit bien l'impression de platitude qui se dégage de la région d'altitude modeste, la majeure partie se situant entre 100 et 200 mètres. Seuls quelques points semblent défier les campagnes environnantes : 221 mètres au signal de Brion et 459 mètres au signal de Fragne.

Nohant insolite... (Cl. Alain Nevière).
Unusual Nohant...
Die ungewöhnliche Nohant kapelle.

Mosaïque champignouse (Cl. CAUE).
Champagne Patchwork.
Champignouser "Mosaik".

Le pays berrichon apparaît comme une clairière entourée de forêts et de bocages vallonnées. Cette clairière, **la Champagne berrichonne**, axée sur Châteauroux, Levroux, Vatan et Issoudun en occupe le centre.
Contrée aux larges horizons découverts d'où surgissent les clochers des bourgs et les domaines isolés tranchant sur les rideaux de peupliers bordant les rares ruisseaux ou les petits bosquets dressés sur une terre humide, pays sec et mollement ondulé dégagé dans le calcaire jurassique, le plateau de Champagne berrichonne se colore au gré des saisons et emprunte mille et une nuances à la palette des verts, des jaunes et des marrons. Dès la fin du printemps, une vaste mosaïque géométrique, fruit du travail des hommes, ondule sous les effets de la brise matinale. Çà

et là, la *plaine*, pour reprendre l'appellation des gens du terroir, s'illumine du rouge sang du trèfle incarnat ou du mauve rosé de l'œillette. Ailleurs, le blanc de l'aubépine et du prunellier qui bordent encore quelques *ouches* contraste avec le jaune vif du colza, en se détachant sur le ciel azur envahi de nuages laiteux.

L'évolution des pratiques culturales a fait disparaître bien des nuances et des impressions que le voyageur du début du siècle pouvait apprécier. Sillonnant le terroir vers 1900, à la veille des moissons, Ardouin-Dumazet, frappé par ce jeu des couleurs, l'un des attraits de ce pays plat, écrivait : "les grandes nappes déjà légèrement dorées ondulent au vent, montrant leur somptueuse mais affligeante parure de coquelicots, de bleuets et de nielles ; les avoines sont trop envahies par les sanves aux fleurs d'or. Le sainfoin couvre de grands espaces de ses tapis d'un rouge vif"...

Contrée dans laquelle se trouvent des vallées sèches, ce pays calcaire connaît une intense activité des eaux souterraines. Des gouffres karstiques et des dépressions coniques, dont le diamètre atteint parfois quelques dizaines de mètres, sont le témoin de cette activité du réseau souterrain. Ces dépressions, les *mardelles*, ont longtemps impressionné les habitants de la région qui y voyaient les traces d'établissements humains de l'époque préhistorique. Aujourd'hui ces mardelles disparaissent de plus en plus pour faire place, après remblai, à des cultures.

En Champagne berrichonne subsistent des marais, milieu relictuel original qu'il convient de protéger et de conserver. Ici, remarque le géographe Pascal Blondeau, "les vallées peu encaissées, aux versants très évasés, se fondent dans le paysage lorsque les cultures ont remplacé les anciennes prairies naturelles. Par contre, certains ruisseaux ont conservé sur une partie de leur cours leur environnement bocager (haies, taillis, friche, peupleraies récentes) qui contraste avec l'espace céréalier. Les labours ne peuvent s'empêcher de mordre sur les fonds de vallées, ils découvrent là une terre noire caractéristique des marais tourbeux de Champagne (...). Le département de l'Indre possède la plus grande tourbière alcaline de la Champagne berrichonne. Dans le marais de Jean-Varenne (commune de Thizay), la tourbe fossile formée par accumulation de dépôts organiques depuis des millénaires, peut atteindre une épaisseur de quatre mètres par endroits".

Depuis avril 1983, un arrêté de biotope protège ce marais de Jean-Varenne sur une superficie de 94 hectares de part et d'autre du ruisseau de la Vignole.

La flore et la faune riches et diversifiées constituent l'intérêt majeur du marais. Sans pénétrer dans la réserve, en suivant le sentier de découverte, le promeneur remarquera, outre

Géométrie en Champagne berrichonne
(Cl. Daniel Bernard).
Berry Champagne geometry.
Geometrie in Berry Champagne.

Issoudum (Cl. Daniel Bernard).

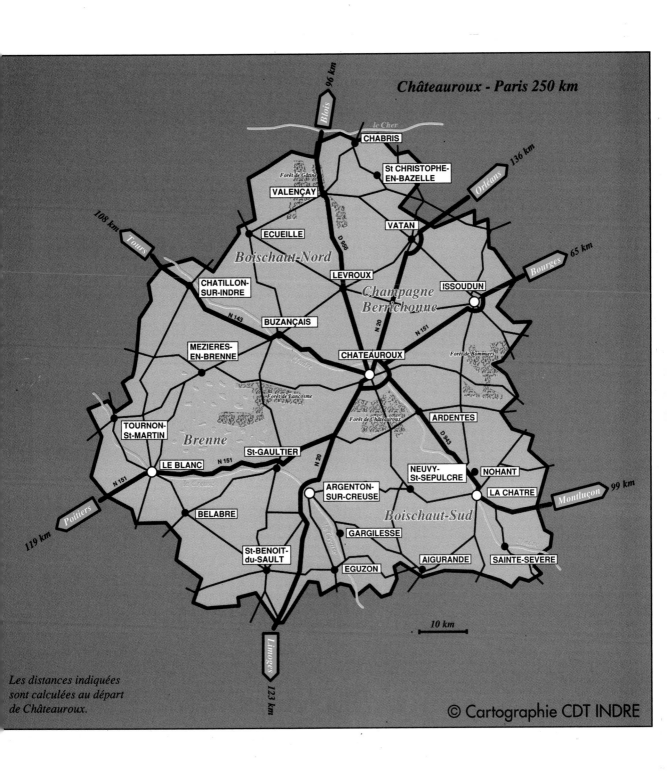

Châteauroux - Paris 250 km

Blois 96 km

le Cher

CHABRIS

St CHRISTOPHE-
EN-BAZELLE

Forêt de Gâtine

VALENÇAY

Orléans 136 km

ECUEILLE

VATAN

Tours 108 km

Boischaut-Nord

D 956

LEVROUX

*Champagne
Berrichonne*

ISSOUDUN

Bourges 65 km

CHATILLON-
SUR-INDRE

N 143

BUZANÇAIS

N 20

N 151

MEZIERES-
EN-BRENNE

CHATEÂUROUX

Forêt de Bommiers

Forêt de Lancôsme

ARDENTES

TOURNON-
St-MARTIN

Brenne

Forêt de Châteauroux

D 943

St-GAULTIER

N 151

LE BLANC

N 20

NEUVY-
St-SEPULCRE

NOHANT

N 151

la Creuse

ARGENTON-
SUR-CREUSE

LA CHATRE

Montluçon 99 km

Poitiers 119 km

BELABRE

Boischaut-Sud

GARGILESSE

St-BENOIT-
du-SAULT

AIGURANDE

SAINTE-SEVERE

EGUZON

10 km

Limoges 123 km

*Les distances indiquées
sont calculées au départ
de Châteauroux.*

© Cartographie CDT INDRE

◀ *Au printemps, la Champagne se pare du mauve
de l'œillette (Cl. Daniel Bernard).
In spring, Champagne is adorned with mauve
coloured poppies.
Im Frühling schmücken Malve und Mohn die
Region Champagne.*

◀ ◀ *Le colza reste l'une des richesses de la Champagne
berrichonne (Cl. Daniel Bernard).
Rapeseed is an important source of income in the
region.
Der Raps ist einer der Reichtümer dieser Region.*

*Ciel d'orage aux environs de Vatan
(Cl. Daniel Bernard).
Stormy skies around Vatan.
Gewitterwolken über der Umgebung Vatans.* ▶

*Guérets en Champagne (Cl. CAUE).
Fallow land in Champagne.
Brachfelder in Champagne.*
▼

Labours en Champagne berrichonne (Cl. CAUE).
Ploughing in the Berry Champagne.
Pflügen in Berry Champagne.

Au pays des mille étangs... (Cl. CAUE). ▶
Land of a thousand ponds...
In der Gegend der tausend Weiher.

la saulaie et l'aulnaie, des pelouses sèches calcicoles peuplées de germandrée des montagnes, de bugrane épineuse, d'ophrys araignée ou de coronille et la prairie à schoin, formation en voie de disparition en France. Là, le naturaliste peut observer des espèces rares telles le schoin noir, l'épipactis des marais, la gentiane des marais, la sanguisorbe ou l'orchis palustris.
Des sources artésiennes creusées dans la tourbe et le calcaire laissent s'écouler une eau dont la température est constante tout au long de l'année.
Selon les saisons, rapaces, limicoles et passereaux cohabitent dans ce milieu, protégé certes, mais dont la conservation s'avère difficile.

Jusqu'au milieu du XIXe siècle, la *plaine* est livrée à l'élevage extensif des ovins sur les chaumes et les jachères. A la fin de ce siècle, la mécanisation, l'usage des labours profonds,

l'introduction des engrais artificiels amènent la Champagne berrichonne à la culture intensive des céréales alors que dans le même temps, l'élevage ovin commence à décliner.

L'âge du mouton, au cours duquel s'étaient développées ou intensifiées des activités industrielles ou artisanales liées à cet élevage, allait bientôt céder la place à l'ère de la monoculture céréalière.
Sur ces cols cailouteux, qui à l'inverse de la Beauce ne possèdent pas de revêtement limoneux, la Champagne berrichonne se voue à la grande culture céréalière dans le cadre de grosses exploitations où la mécanisation est reine.

Terrier brennou (Cl. Daniel Dufour).
Brenne Mound.
Der Brenner Hügel.

La part de chacune des céréales varie en fonction de la conjoncture : si le blé et l'orge dominent, la progression de la culture du maïs grain se heurte aux contraintes de l'irrigation. Si le colza s'implante dès les années soixante dans la région, il tend à être écarté par le tournesol qui connaît une progression remarquée. La diversification dans les assolements est apportée par la culture de légumes secs (la lentille verte, les féveroles, le pois), de graines de semences tandis que le sorgho et le soja font çà et là des apparitions.

Pays de grès, de bois et d'eau, la **Brenne**, vaste région naturelle de 80 000 hectares, naît à l'ouest du département et se prolonge au sud de la forêt de Châteauroux dans **la Queue de Brenne.**

Pour délimiter la région, il convient d'ajouter à la Grande Brenne, pays argilo-sableux parsemé d'étangs, la petite Brenne plus forestière qui s'étend sur la rive gauche de la Creuse.

Château du Bouchet à Rosnay (Cl. CAUE).
Bouchet château in Rosnay.
Das Bouchet Schloß in Rosnay.

Dans ce pays de bocage aux mille étangs, seuls des monticules de grès souvent rougeâtre ayant échappé à l'érosion en brisent la platitude : sur ces *buttons*, *terriers* ou *tardets* croissent des bruyères ou du genêt, des taillis de chênes ou quelques pins.

Dans *la Brenne histoire et traditions*, Chantal de la Véronne nous conte l'origine légendaire de ces dépâtures de Gargantua : "Le plus célèbre des géants brennous est Galifront (forme brennouse de Gargantua). Il y a longtemps, bien longtemps, lorsque la Brenne était encore un immense marécage, Galifront pour aller de Tours en Limousin dut la traverser à pied. Malgré ses grandes jambes il enfonçait un peu à chaque pas, et ses énormes pieds étaient tout *patés* de quantité de boue qui le gênait pour marcher.

De temps à autre, il devait secouer ses bottes et chaque fois, il en tombait assez de terre pour en former une butte. Telle est l'origine des *terriers* brennous, *les patins de Gargantua*".

Le pays des mille étangs n'en compterait en réalité que 850, mais certaines statistiques en cite plus d'un millier !... Certaines grandes mares se dénomment étangs, tandis qu'en temps de sécheresse quelques points d'eau disparaissent...

La tradition rapporte que les premiers étangs furent établis au VIIe siècle sous le règne de Dagobert, par les moines des abbayes de Méobecq et de Saint-Cyran, afin d'assurer la subsistance des communautés religieuses en période de Carême et de jeûne. Entre le XIIIe et le XVIe siècle, la plupart des étangs brennous sont creusés dans un sol imperméable où stagnent les eaux puisque la pente est très faible.

Le plus grand des étangs de Brenne est celui de la Mer Rouge qui couvre aujourd'hui 153 hectares. Selon la légende, au XIIIe siècle, Aimery Senébaud au retour des croisades donna le nom de Mer Rouge à l'étang du Bouchet : ce plan d'eau lui rappelait la mer qu'il avait connue en Orient...

Si vous allez découvrir le merveilleux site de l'étang de la Mer Rouge, ne passez pas sur la chaussée vers minuit. A cette heure, la Biche Blanche sort d'un fourré, vous pousse vers l'eau et d'un coup de tête vous envoie faire un plongeon forcé dans l'étang...

Terre de légendes, la Brenne mérite d'être connue pour ses richesses naturelles longtemps insoupçonnées. Tout comme les Dombes ou la Sologne, cette zone humide continentale reste l'une des plus riches de France. Parsemé d'orchidées, ce paradis pour oiseaux migrateurs reste une terre sauvage où règne la solitude : l'homme se fait rare en Brenne puisque dans la région ne vivent en moyenne que onze habitants par kilomètre carré.

Tout au long de l'histoire, la Brenne fut une terre ingrate, difficile, longtemps insalubre et défavorisée.

Transformé considérablement au XIXe siècle, ce pays pauvre subit alors les fièvres et les miasmes issus de la stagnation des eaux des étangs et des ruisseaux.

Sous le Second Empire, d'importants défrichements sont réalisés et de nombreux étangs asséchés. Des routes et des chemins sillonnent dès lors le pays brennou. Avec le XIXe siècle s'évanouit la légende d'une terre déshéritée ; mais aujourd'hui en Brenne les friches progressent, des villages sont désertés et l'agriculture se maintient difficilement.

Queue d'étang en Brenne (Cl. CAUE).
Tail-end of a pond in the Brenne.
Ein Weiher in Brenne.

Outre la chasse, l'activité essentielle reste la pisciculture, pratiquée de façon intensive sur près de 7 500 hectares d'eau. La production annuelle de poissons (65 % de carpes) varie entre 750 à 900 tonnes. Depuis 1978, dans l'écloserie artificielle créée à Bénavent près du Blanc, la fécondation des carpes, tanches et brochets a lieu en laboratoire. Ces innovations apparaissent comme le signe d'un renouveau de la pisciculture brennouse.

Installée à Mézières-en-Brenne, la Maison de la Pisciculture près du Musée d'histoire locale permet au visiteur de mieux connaître cette activité économique vitale pour la région.

Depuis 1989, le Parc naturel régional de la Brenne, premier du genre en région Centre, regroupe 47 communes. Protecteurs de la nature, agriculteurs, pisciculteurs, chasseurs et collectivités locales y œuvrent pour maintenir les activités économiques tout en préservant les richesses écologiques. Située au cœur de la Brenne des étangs, la Maison du Parc est installée au hameau du Bouchet, commune de Rosnay.

La région possède une richesse biologique exceptionnelle. Son patrimoine naturel est diversifié, ses milieux variés (prairies, landes, bois, étangs), sa faune et sa flore d'un grand intérêt.

Plus de 250 espèces d'oiseaux ont pu y être observées. Cette contrée reste en effet une terre d'accueil pour les migrateurs : l'hiver plus de 1 500 canards fréquentent les étangs et le pays est une zone de nidification privilégiée pour les fuligules milouins, les courlis cendrés, les grèbes huppés, les butors étoilés et autres espèces en voie de disparition. Guifette moustac, busard des roseaux, Guifette noire, grèbe à cou noir, héron pourpré ou blongios la fréquentent aussi.

Ferme et étang de Grandeffe à Saint-Maur
(Cl. Daniel Bernard).
Grandeffe farm and pond in Saint-Maur.
Grandeffe Bauernhof und Weiher in Saint-Maur.

Brenne et Champagne berrichonne : un paradis pour les orchidées sauvages (Cl. Daniel Bernard). The Brenne and the Berry Champagne : paradise for wild orchids. Brenne und Berry Champagne : Ein Paradies für wilde Orchideen.

Nombreux sont les mammifères qui la peuplent. Si le loup et le chat sauvage ont disparu, les naturalistes ont pu observer le vison d'Europe, la loutre et la genette. A ce catalogue ajoutons plus de cinquante espèces de libellules, dix espèces de reptiles et quatorze d'amphibiens. Avec des milliers de tortues aquatiques, les Cistudes d'Europe, les étangs de Brenne sont la première zone de peuplement pour cette espèce en France. Dès 1894, le naturaliste argentonnais Raymond Rollinat (1859-1931) qui avait pris conscience de la richesse de la région, publiait une étude sur *la tortue des étangs de Brenne*.

Quant à la flore, de nombreuses espèces sauvages d'origine continentale, atlantique et méditerranéenne croissent en Brenne.

Jacques Trotignon signale que 600 plantes vasculaires et 67 mousses y ont été recensées. Il convient de noter des espèces remarquables tels le plantain à feuille de Parnassie, l'hottonie des marais, la grande renoncule aquatique et le limnanthème, ainsi que 34 espèces d'orchidées découvertes par les naturalistes B. et G. Tardivo. En effet, la strate herbacée sert d'écrin à de rares espèces (ophrys fusca, sérapias lingua, limodorum abortivum) qui voisinent avec les céphalanthères, epipactis et autres ophrys.

Grâce à l'action des naturalistes passionnés et soucieux de la nécessité de protéger ce riche milieu, deux réserves naturelles ont vu le jour en Brenne permettant au public de découvrir cette faune et cette flore exceptionnelles.

Créée en 1985 sur la commune de Saint-Michel-en-Brenne, la Réserve Naturelle de Chérine, couvrant 145 hectares, offre à l'observateur un résumé des divers milieux naturels brennous : étangs, landes, bois et prairies. L'observatoire public permet de découvrir l'étang Ricot et ses nombreux oiseaux (hérons, butor, divers canards, fauvettes aquatiques, mésanges à moustaches...). L'association pour la gestion de la Réserve Naturelle de Chérine, dont le siège social est en mairie de Mézières-en-Brenne, propose des animations et des visites guidées sous la compétence d'un garde-animateur.

Non loin de là, sur la commune de Lingé, l'un des plus vastes étangs du pays, celui de la Gabrière (112 hectares) est devenu réserve ornithologique. L'une des plus importantes roselières brennouses subsiste dans la queue de cet étang et l'on peut y découvrir une multitude de canards, mouettes, grèbes, guifettes ou busards des roseaux.

Sur la chaussée de l'étang, la maison d'accueil de la Gabrière propose des expositions, dispose d'une documentation abondante et loue même des vélos et tandems à qui veut admirer routes et chemins de ce petit coin sauvage du Berry.

Avant de quitter la Brenne, le touriste ne manquera pas de visiter le Parc de la Haute Touche, situé entre Azay-le-Ferron et Obterre, qui sur 500 hectares boisés compte plus de mille animaux et une collection de cervidés tout à fait remarquable. Non loin de ce parc, aménagé depuis 1964 par le Muséum National d'Histoire Naturelle, le Centre permanent d'initiation à l'environnement, installé dans les communs du château d'Azay-le-Ferron, propose une découverte du milieu et accueille de nombreux scolaires.

Si "la Brenne est une merveille de l'environnement où se marient judicieusement la terre, l'eau et le ciel", comme l'écrit Gérard Tardivo dans une présentation du Parc naturel régional, comme "tout chef-d'œuvre, elle est

Crépuscule brennou. (Cl. CAUE).
Dusk in the Brenne.
Eine Abenddämmerung.

Pêche de l'étang de la Gabrière (Cl. Alain Nevière).
Fishing in Gabrière pond.
Angeln am Weiher von Gabrière.

fragile. Gardez à l'esprit un principe : la Brenne s'observe et se respecte". Il faut d'autant plus la respecter qu'après plusieurs années de sécheresse et face aux nouvelles formes d'exploitation des étangs, certaines espèces d'oiseaux auraient quitté la région...

Au sud d'une ligne reliant approximativement Bélâbre à Pruniers s'étend le **Boischaut du sud**, dépression liasique périphérique au Massif Central. Dans ce pays vallonné dont les parcelles sont entrecoupées de haies, de bois et de boqueteaux, les villages sont nombreux ; les hameaux et locatures aux toitures de tuiles rougeâtres jettent des touches colorées dans le bocage.

Ici la *bouchure* (la haie) et l'arbre marquent de leur empreinte séculaire le paysage. Pourtant, celui-ci a évolué : le remembrement a pu modifier le maillage du bocage ; les ormes atteints de la graphiose ont disparu des haies et les châtaigneraies du pays granitique sont délaissées.

Grâce à ses romans champêtres, George Sand a contribué à faire connaître le cœur du Boischaut, cette **Vallée Noire**, dont elle a décrit paysages, paysans et coutumes. En 1857, elle en trace les limites :

"Faites courir une ligne circulaire, partant, si vous voulez, de Cluis-Dessus, qui est le point de mire de tous les horizons de la Vallée-Noire, et faites-la passer par toutes les hauteurs qui enferment et protègent notre bocage. Du côté de Cluis, toutes les hauteurs sont boisées, c'est ce qui donne à nos lointains cette belle couleur bleue qui devient violette et quasi noire dans les jours orageux. C'est d'un côté, le bois Fonteny ; de l'autre Mavoye, le bois Gros, le bois Saint-Georges. Dirigez votre ligne d'enceinte vers les plateaux d'Aigurande, de Sazeray, Vijon, les sources de l'Indre, les bois de Vicher, la forêt de Maritet, Châteaumeillant, le bois de Boulaise, Thevet, Verneuil, Vilchère, Corlay.

▲

Bocage aux environs de Thevet-Saint-Julien
(Cl. Daniel Bernard).
Hedgeland around Thevet-Saint-Julien.
Bewaldete Umgebung Von Thevet-Saint-Julien.

Des environs d'Aigurande se dessinent les monts
de la Marche (Cl. Daniel Bernard).
The "Monts de la Marche" stand out
around Aigurande.
Die "Monts de la Marche" in der Umgebung
von Aigurande.

◄

Dans les traînes à Vicq-Exemplet...
(Cl. Daniel Bernard).
Alone near Vicq-Exemplet.

◄◄

Chemin creux dans le bocage de Vicq-Exemplet
(Cl. Daniel Bernard).
Sunken path through the hedgeland at
Vicq-Exemplet.
Ein Hohlweg im Hain von Vicq-Exemplet.

▼

Evolution du paysage bocager près du Menoux
(Cliché CAUE).
The changing countryside near Menoux.
Die unterschiedlichen Gebiete in der Nähe
von Menoux.

De là vous dirigez votre vol d'oiseau vers les bois du Magnié, où la vallée s'abaisse et se perd avec les cours de l'Indre dans les brandes d'Ardentes. Si vous voulez la retrouver, il faut vous éloigner de ces tristes steppes et remonter vers le Lys-Saint-Georges, d'où vous la verrez se perdre à votre droite, avec les cours de la Bouzanne, dans la direction de Jeu-Les-Bois et des brandes d'Arthon. A votre gauche, elle se creuse majestueusement, pour se relever vers Neuvy-Saint-Sépulchre et vous ramener au clocher de Cluis, votre point de départ que, dans toute cette tournée, vous n'avez guère perdu de vue".

Dans l**e** *Meunier d'Angibault* (1845) elle évoque ce "développement infini de champs, de prairies, de taillis et de larges chemins communaux offrant une variété de formes et de nuances dans une harmonie générale de verdure sombre tirant sur le bleu ; un pêle-mêle de clôtures plantureuses, de chaumières cachées sous les vergers, de rideaux de peu-

pliers, de pacages touffus dans les profondeurs ; des champs plus pâles et des haies plus claires sur les plateaux faisant ressortir les masses voisines ; enfin un accord et un ensemble remarquables sur une étendue de cinquante lieues carrées, que du haut de Corlay, on embrasse d'un seul regard".
On ne peut résister au plaisir de relire un passage de *Valentine* (1832) dans lequel George Sand décrit avec poésie les *traînes*, ces pittoresques chemins creux du bocage boischautin : "Ils suivaient un de ces petits chemins verts qu'on appelle, en langage villageois, *traînes* ; chemin si étroit que l'étroite voiture touchait de chaque côté les branches des arbres qui le bordaient, et qu'Athénaïs put se cueillir un gros bouquet d'aubépine en passant son bras, couvert d'un gant blanc, par la lucarne latérale de la carriole.

Rien ne saurait exprimer la fraîcheur et la grâce de ces petites allées sinueuses qui s'en vont serpentant capricieusement sous leurs perpétuels berceaux de feuillage, découvrant à chaque détour une nouvelle profondeur toujours plus mystérieuse et plus verte. Quand le soleil de midi embrase, jusqu'à la tige, l'herbe profonde et serrée des prairies, quand les insectes bruissent avec force et que la caille glousse avec amour dans les sillons, la fraîcheur et le silence semblent se réfugier dans les traînes. Vous y pouvez marcher une heure sans entendre d'autre bruit que le vol d'un merle effarouché à votre approche, ou le saut d'une petite grenouille verte et brillante comme une émeraude, qui dormait dans son hamac de joncs entrelacés. Ce fossé lui-même renferme tout un monde d'habitants, toute une forêt de végétations ; son eau limpide court sans bruit en s'épurant sur la glaise, et caresse mollement des bordures de cresson, de baume et d'hépatiques ; les fontinales, les longues herbes appelées rubans d'eau, les mousses aquatiques pendantes et chevelues, tremblent incessamment dans ses petits remous silencieux ; la bergeronnette jaune y trotte sur le sable d'un air à la fois espiègle et peureux ; la clématite et le chèvrefeuille l'ombragent de berceaux où le rossignol cache son nid. Au printemps ce ne sont que fleurs et parfums ; à l'automne, les prunelles violettes couvrent ces rameaux qui, en avril, blanchirent les premiers ; la senelle rouge, dont les grives sont friandes, remplace la fleur d'aubépine, et les ronces, toutes chargées de flocons de laine qu'y ont laissés les brebis en passant, s'empourprent de petites mûres sauvages d'une agréable saveur"...

Hiver au Magnet (Cl. Daniel Bernard).
Winter in Magnet.
Winter in Magnet.

Le Petit Breuil en Boischaut du Nord
(Cl. Gilles Couagnon).
Petit Breuil in the Northern Boischaut.
Ein kleiner Brühl in Nord-Boischaut.

Aujourd'hui les *traînes* enfouies entre les haies mal entretenues, inadaptées au passage des matériels agricoles, ont trop souvent tendance à disparaître sous la végétation.

De Saint-Benoît-du-Sault à la région de Sainte-Sévère, le socle cristallin du Massif Central affleure, donnant naissance à des gorges comme celle de la Vallée de la Creuse dans l'Eguzonnais.

Dans ce Boischaut du sud où dominent les prairies, l'élevage est l'activité essentielle de cette région d'habitat dispersé.

Le Boischaut du nord, qui meurt là où affleure la craie du crétacé supérieur au bord de la cuesta surplombant la Champagne berrichonne, constitue le quatrième ensemble du département. Pays composite dans lequel les paysages de transition sont nombreux, le Boischaut septentrional porte quelques bocages, surtout dans les vallées, et des bois : depuis deux siècles les défrichements en ont modifié considérablement l'aspect.

Les terres y sont humides et les plateaux recouverts d'argile à silex ont donné naissance dans le passé à des fabrications de pierres à fusil.

Au nord de Valençay, vers Lye ou Villentrois, des habitations troglodytes construites dans les calcaires de tuffeau rappellent le pays tourangeau. A Luçay-le-Mâle et à Villentrois des carrières souterraines abritent la culture de champignons de Paris. N'appelle-t-on pas parfois cette région la Touraine de l'Indre ?

Mais le géographe Jean-Mary Couderc propose le terme de **Gâtines de l'Indre** pour désigner la contrée, pays de bois (Rouvres-les-Bois n'est-il pas un toponyme révélateur ?) et non de bocage (sauf dans les vallées). On rattache à cet ensemble, la **Bazelle**, petite région située à l'ouest en bordure du Cher.

Outre la polyculture, le pays reste renommé par ses élevages de chèvres qui produisent les fameuses pyramides et sa viticulture demeure l'une des plus importantes du département. Le vignoble de la région de Valençay-Lye-Fontguenand-la Vernelle possède de vigoureux cépages produisant rouge, blanc ou *gris* (Sauvignon, Gamay, Cabernet, Pinot Noir et Cot).

Construction rurale dand le tuffeau à Lye
(Cl. Daniel Bernard).
Rural tufa building in Lye.
Ländliches Tuffsteingebäude in Lye. ▶

L'une des richesses du pays de Valençay...
(Cl. Gilles Couagnon).
A source of income in Valençay.
Eines der Reichtümer im Gebiet von Valençay.

▼

En forêt de Châteauroux... (Cl. Daniel Bernard).
Châteauroux forest.
Der Wald von Châteauroux.

En sillonnant le département de l'Indre, le promeneur découvre bien d'autres richesses naturelles que des associations (signalons Indre-Nature, le GEAI, la SEPANI...) s'efforcent de protéger. Avec un taux de boisement de 15 %, le département de l'Indre ne peut faire figure de pays de forêt. Cependant il possède de superbes massifs forestiers qui s'étalent d'ouest en est et qui semblent le séparer en deux. La forêt d'Azay-le-Ferron, le bois de Paillet, la forêt de la Luzeraise, les bois de Souvigny et de Thenay, la forêt de Lancosme, les Bois de Saint-Marin, la forêt de Châteauroux (5204 ha) et celle de Bommiers (4470 ha) sont peuplés de feuillus : bien que le chêne domine, le hêtre et le charme n'en sont pas absents.

Si le loup, autrefois très présent dans ces massifs forestiers, a disparu à la fin du XIXe siècle, le gros gibier y est encore abondant : cerf et chevreuil sont chassés à courre dans les forêts de Châteauroux ou de Lancosme.

La géologie et l'hydrographie peuvent constituer des attraits supplémentaires dans cette région du Bas-Berry. Si le fer n'est plus extrait et n'appartient plus qu'à l'histoire des forges, encore puissantes dans l'Indre jusqu'au XIXe siècle, la barytine exploitée à Chaillac fournit près de 50 % de la production annuelle française. On y trouve aussi du manganèse et d'importants gisements de fluorine. Les calcaires du jurassique moyen sont extraits dans les carrières de Saint-Gaultier où sont encore installés des fours à chaux.

Implanté à Langé depuis 1982, le Musée Géologique et Paléontologique présente des découvertes effectuées dans la carrière des Journaux grâce au travail acharné de la famille Couet. Parmi les 430 pièces, dont 45 espèces de fossiles remontant à l'ère secondaire, figure une espèce d'oursin inconnue des spécialistes et dénommée **Stégopygus Langeensis**... Voilà de quoi enorgueillir la petite commune du Boischaut nord !

En Bas-Berry, les cours d'eau "se partagent entre trois bassins : Cher, Indre, Creuse qui appartiennent au domaine ligérien (les trois rivières sont des affluents de la Loire). Le sud du département, et particulièrement les hauteurs marchoises, constituent le principal **château d'eau :** Arnon, Indre, Bouzanne,

L'asphodèle blanche, une espèce commune de la forêt de Châteauroux (Cl. Daniel Bernard).
White asphodel, a common variety in Châteauroux forest.
Der weiße Affodill im Wald von Châteauroux.
▶

Exploitation du calcaire jurassique dans les carrières de Saint-Gaultier (Cl. Daniel Bernard).
Quarrying limestone in Saint-Gaultier.
Bodennutzung der jurakalkhaltigen Erde im Steinbruch von Saint-Gaultier.
▼

Petite Creuse y prennent leur source. Le signal de Brion en Champagne est un pôle de dispersion de cours d'eaux modestes qui alimentent surtout le bassin du Cher, l'Indre ne recevant que quelques ruisseaux. La dépression de Brenne parsemée d'étangs est drainée par un réseau mal hiérarchisé qui s'écoule vers la Creuse" (Pascal Blondeau. ***L'Indre aujourd'hui***).

Les rives du Nahon à Valençay (Cl. Daniel Bernard).
The banks of the Nahon in Valençay. ▶

Source de la Théols (Cl. Daniel Bernard).
The source of the Théols. ▶▶
Die Quelle von Théols.

◀ *Le Fouzon à Varennes (Cl. Gilles Couagnon).*
Le Fouzon at Varennes.
Fouzon in Varennes.

Sur les bords de l'Anglin à Chalais
(Cl. Daniel Bernard).
On the banks of the Anglin in Chalais.
Am Ufer der Anglin in Chalais.
▼

La plupart des rivières de l'Indre offrent calme et tranquillité. Connaissez-vous le Nahon vers Valençay, le Fouzon vers Varennes-sur-Fouzon, l'Arnon vers Gouers, la Couarde ou la Vauvre ?... Au point de vue hydrographique, la résurgence de la Théols, qui sort d'un joint stratigraphique dans les calcaires oolithiques du bathonien sur un site agréable de la commune d'Ambrault, est une curiosité paturelle à découvrir.

Des circuits touristiques balisés permettent de connaître les trésors du Val de l'Indre et des vallées de la Bouzanne, de l'Anglin ou de la Creuse. Régions où l'eau, l'arbre et la pierre se mêlent intimement.

Le Château Raoul au bord de l'Indre à Châteauroux (Cl. Daniel Bernard).
Raoul château on the banks of the Indre in Châteauroux.
Das Raoul Schloß am Ufer der Indre in Châteauroux.

Les gorges de la Creuse (Cl. Alain Nevière).
Creuse gorge.
Die Creuse-Schluchten.

Aux confins du Poitou, de la Haute-Marche et du Berry, la Vallée de la Creuse se remarque par son originalité. Ses bords abrupts et rocheux, son relief tourmenté et sa nature sauvage ne manquent pas d'attrait : en y faisant de nombreux séjours à Gargilesse, George Sand ne s'y était pas trompée. "En remontant le cours de la Creuse par des sentiers pittoresques, écrit-elle dans *Promenades autour d'un village*, on trouve à chaque pas, un site enchanteur ou solennel, tantôt le *Rocher du moine*, grand prisme à formes basaltiques, qui se mire dans les eaux paisibles ; tantôt le *Roc des Cerisiers*, découpure grandiose qui surplombe le torrent et que l'on ne franchit sans peine quand les eaux sont grosses. Ces rivages riants ou superbes vous conduisent à la colline escarpée où se dresse l'imposante ruine de Châteaubrun...".

A Gargilesse, village des artistes, plane encore le souvenir de Claude Monet, Guillaumin, Léon Detroy ou Fernand Maillaud. Lors de la saison estivale, les nom-

▲

Eglise de Gargilesse (Cl. CAUE).
Gargilesse church.
Die Gargilesse Kirche.

Barrage d'Eguzon (Cl. Daniel Bernard).
Eguzon dam. ▶
Der Staudamm von Eguzon.

breux artistes et artisans d'art installés dans le village animent les lieux. Chaque été, l'église romane du XIIᵉ siècle sert de cadre au festival de harpe fondé par Pierre Jamet, président de l'association internationale des harpistes.

On ne peut quitter Gargilesse sans avoir visiter la petite maison de George Sand, reconstituée en 1960 par Aurore Sand, petite-fille de la romancière. Et, non loin de là, Christiane Sand propose au public une exposition de ses œuvres.

Tout le long de la vallée de la Creuse, des sites classés défilent (boucle du Pin, barrage de la Roche-bat-l'Aigue). La région d'Eguzon offre en outre de nombreuses ressources touristiques dont le barrage, le lac de Chambon et le Musée de la Vallée de la Creuse sont les pôles attractifs.

Inauguré en juin 1926, après plus de trois années de travaux intenses, l'un des plus grands barrages de l'Europe d'alors se dresse sur la Creuse entre Cuzion et Eguzon. D'une hauteur de 61 mètres, d'une épaisseur de 55 mètres à la base, cet édifice, sur une longueur de 18 km, retient 54 millions de m³ d'eau.

Le long des rives du lac Chambon se développent les activités sportives de loisirs : le centre nautique de la base départementale de plein air y organise des stages de planche à voile, dériveurs ou catamarans. Sur ces berges, des plages (Chambon ou Fougères) attirent baigneurs et fervents de ski nautique ou de voile...

Créé à Eguzon en 1987 sous l'égide de l'ASPHARESD, le Musée des Arts et Traditions Populaires de la Vallée de la Creuse propose de redécouvrir un passé révolu en mettant en valeur le patrimoine ethnologique de la région.

L'EMPREINTE DE L'HISTOIRE

Zone de contact entre le Bassin Parisien et le Massif Central, l'Indre possède un patrimoine monumental et architectural d'une grande variété et la plupart des époques y sont représentées. Cette empreinte de l'histoire se lit dans toutes les régions du Bas-Berry, chacune apportant sa spécificité au capital patrimonial.

Il y a près d'un million d'années, l'Homo erectus s'installait sur les rives de la Creuse vers Eguzon : les fouilles du site de Lavaud ont permis de mieux connaître ces tailleurs de quartz, premiers habitants du Bas-Berry. Dans la région d'Argenton, la grotte de la Garenne a livré un important matériel de l'époque magdalénienne (bois de renne décoré) et l'abri Charbonnier, aux Roches de Pouligny-Saint-Pierre, de nombreux outillages de silex. Une visite au musée d'Argentomagus s'impose pour retrouver ces vestiges émouvants.

◄ *Dolmen de Liniez (Cl. Daniel Bernard).*
Dolmen in Liniez.
Liniez-Dolmen.

Dolmen de Passebonneau près de la Châtre-Langlin (Cl. Daniel Bernard).
◄ *Dolmen in Passebonneau near la Châtre-Langlin.*
Der Passebonneau-Dolmen in der Nähe von la Châtre-Langlin.

Dolmen des Gorces à Parnac (Cl. Gérard Coulon).
Gorces dolmen in Parnac.
Der Gorces-Dolmen in Parnac.

▼

Dolmens et menhirs marquent de façon plus visible le paysage : si le département a pu posséder plus d'une cinquantaine de mégalithes, actuellement beaucoup sont ruinés.

Une trentaine de dolmens subsistent encore dans la région : la Pierre à la Marte à Montchevrier, les Pierres Folles à Liniez, la Pierre à Moulins, le dolmen de Bagneux, ceux de Passebonneau vers Saint-Benoît-du-Sault, de Senneveau (Ciron), des Gorces à Parnac, la Pierre à la Fade non loin du château du Bouchet, le dolmen de l'étang Prieur près de Bélâbre, le dolmen du Chardy à Orsennes, celui de la Pierre-là de Saint-Plantaire sont les plus remarquables. Plus rares, une quinzaine de menhirs témoignent encore de cette lointaine civilisation mégalithique : Bagneux, Le Blanc (Rouilly), le menhir du Fuseau ou bobinette du diable à Saulnay...

Que de légendes et de superstitions circulaient autour de ces pierres ! Que de craintes, ces constructions impressionnantes ont inspirées aux paysans de la contrée !
Ne dit-on pas que par les rigoles qui sont creusées dans la table du dolmen du Chardy à Orsennes, s'écoulait le sang de victimes humaines sacrifiées dans des temps immémoriaux ! Le menhir de la Pierre Levée de Boisy à Bagneux au nord du département "accomplit un tour complet sur lui-même chaque fois que l'angélus sonne en même temps aux clochers voisins d'Anjouin, de Bagneux et Dun-le-Poëlier (...). Pour la messe des Rameaux, le menhir de la petite Ribère, à Maillet, se soulevait lorsque le prêtre frappait trois fois à la porte de l'église" (Gérard Coulon. *Les légendes des dolmens et des menhirs en Berry*).

D'autres croyances locales rapportent que les géants, martes, fées ou fades sont à l'origine de la construction de ces monuments colossaux. Consignant les légendes concernant les martes ou marses, espèces de géants à la force prodigieuse, le folkloriste Laisnel de la Salle rapporte que "ce sont eux qui, en jouant, ont apporté et mis debout tous les dolmens, menhirs et cromlekhs de la contrée.
On raconte à ce sujet, que, tandis que cinq de ces géants procédaient à l'érection des piliers du dolmen de Montborneau, situé dans le voisinage, l'un d'entre eux, trop confiant en ses forces, se vanta d'enlever, seul, à bout de bras, et de poser sur les supports la pierre immense qui sert de plate-forme au monument. Quand ce fut au fait et au prendre, non seulement il ne put en venir à bout, mais, après avoir réclamé l'aide de ses quatre compagnons, il ne parvint pas même à élever le côté dont il s'était chargé aussi haut que les autres, et sa forfanterie lui valut une rupture de reins et les railleries de ses camarades. Ainsi s'explique la déclivité que l'on remarque dans le niveau de la table du dolmen de Montborneau".

Des fouilles récentes ont permis de mettre en évidence les traces de l'âge du Fer (champ tumulaire, nécropoles, épées et armes de bronze). Grâce à ces recherches, la civilisation biturige émerge du silence de l'histoire (village gaulois des Arènes et oppidum de la colline des Tours à Levroux). A Moulins-sur-Céphons, un village gaulois propose des reconstitutions grandeur nature d'une maison, d'un grenier et d'une porte de forteresse.
Etant resté sous la domination romaine de 51 avant J.-C. jusqu'en 476, le Bas-Berry fut profondément marqué par la romanisation.

Village gaulois à Moulins-sur-Céphons
(Cl. Alain Nevière).
Gallic village in Moulins-sur-Céphons.
Ein gallisches Dorf in Moulins-sur-Céphons. ▶

Autel domestique gallo-romain présenté "in situ"
dans la crypte du musée archéologique
d'Argentomagus (Cl. studio Gesell-Argenton).
Gallo-Roman alter presented "in-situ" in the crypt
of the archeological museum in Argentomagus.
Ein galloromanischer Altar zeigt "in situ" in der
Krypta des archeologischen Museums
in Argentomagus. ▶▶

Chapiteaux romans à Sassierges-Saint-Germain
(Cl. Daniel Bernard).
Romanesque capitals in Sassierges-Saint-Germain.
Romanische Säulenknäufe in Sassierges-Saint-Germain.

Dans la région de Vouillon, le promeneur peut encore suivre la trace de la voie romaine qui reliait Avaricum (Bourges) à Argentomagus.

Grâce au travail et à l'obstination acharnée de nombreux archéologues (nous pourrions citer en particulier le Docteur Allain), l'Indre possède aujourd'hui un complexe archéologique majeur à Argentomagus : le théâtre, l'aire cultuelle, la fontaine monumentale, les quartiers artisanaux ou d'habitation qui furent dégagés dans la ville antique témoignent de l'extrême richesse du site. Le Musée archéologique d'Argentomagus qui vient d'ouvrir en 1990 sur la commune de Saint-Marcel est la concrétisation de ce travail de recherches menées depuis une trentaine d'années.

Construit directement sur des vestiges de la ville gallo-romaine, de conception résolument moderne, ce musée grandiose nous invite à un voyage de plus d'un million d'années, des premiers hommes jusqu'à la fin de l'époque romaine.

Ses espaces d'exposition en pente douce conduisent le visiteur à travers trois niveaux successifs. "Sous le Musée s'ouvre la crypte archéologique avec ses vestiges architecturaux impressionnants et pour "must" un autel domestique unique en Gaule, présenté à l'endroit même où il fut mis au jour en 1986".

Archéologue de terrain, auteur d'une synthèse remarquable qui fait autorité (*les Gallo-Romains* parue chez Colin), l'actuel conservateur Gérard Coulon entend faire de ce complexe un pôle d'animation culturelle et touristique, un véritable intermédiaire entre chercheurs et "honnêtes hommes".

On ne peut quitter le Bas-Berry sans avoir visiter cet ensemble unique en Région Centre, l'un des plus grands musées archéologiques de France.

Si vers l'an mil, le territoire de France se couvre "d'un blanc manteau d'églises", les campagnes berrichonnes n'échappent pas à la règle. Dans cette région située sur le chemin des pèlerins qui se dirigeaient de Vézelay vers Saint-Jacques-de-Compostelle, subsistent près de quatre vingts églises romanes dont le style a pu subir des influences ligériennes, poitevines ou saintongeaises.

Bien qu'on ait modifié beaucoup d'églises au cours des siècles, le patrimoine roman de l'Indre reste remarquable : un rapide inventaire permettra de noter les caractéristiques des principaux édifices religieux de ce département.

Le portail de l'église Saint-Martin d'**Ardentes**, de style bénédictin (XIIᵉ siècle), offre des motifs sculptés visibles aussi à **Sassierges-Saint-Germain**. Sur la commune de **Bélâbre**, le petit édifice rustique de Nepme date du XIᵉ. L'intérêt de celui de **Bommiers**, comportant une vaste nef couverte de charpente, réside dans ses quarante-cinq stalles en chêne sculpté du XVᵉ siècle et qui proviennent du couvent des Minimes.

Dans la ville du **Blanc**, l'ancienne église romane Saint-Cyran fut retirée du culte en 1793. Reconstruite au XIIᵉ siècle, l'église Saint-Génitour abritant les reliques du saint patron, fut modifiée au XVᵉ, période où s'édifia une chapelle dédiée à Notre-Dame de la Pitié, en pur style gothique flamboyant : au XVIIᵉ deux chapelles supplémentaires furent construites.

Vestiges de l'abbaye de Déols (Cl. Daniel Bernard).
Ruins of Déols abbey.
Überreste der Déols-Abtei.

Remaniée au cours des siècles, l'église Saint-Phalier de **Chabris** qui possède des parties antérieures au Xe mérite une visite, de même que Notre-Dame de **Châtillon** qui dépendait de la collégiale Saint-Outrille.

Reconstruite après 1200, l'église Saint-Martin de **Chouday** ne conserve de l'époque romane que les murs de sa nef et sa façade occidentale. L'abbatiale de **Déols**, l'un des plus grands édifices romans de France, fut fondée en 917 par Ebbes, prince de Déols, dans une prairie traversée par des bras morts de l'Indre. Dès lors, la puissante famille déoloise étendit son autorité sur le Bas-Berry, devenu principauté territoriale. Des sept clochers de la grande abbatiale du Bourg-Dieu qui mesurait 113 mètres de long, un seul subsiste aujourd'hui. Dès le début du XVIIe siècle un vent de destruction souffla sur l'édifice, devenu deux siècles plus tard une véritable carrière.

Le programme de restauration qui est mené actuellement permettra de mettre en valeur cette célèbre abbaye de Déols.

Dans un ouvrage récent consacré à la sculpture romane de l'abbaye de Déols, Patricia Duret analyse l'architecture de ces sculptures dont certaines sont encore en place ; beaucoup sont conservées au Musée Bertrand de Châteauroux et dans la salle d'exposition de Déols. Patricia Duret insiste sur la diffusion de cette sculpture déoloise dans des chapiteaux des églises Saint-Sulpice de **Niherne**, Saint-Vincent de **Vineuil**, Saint-Martin de **Chouday**, Saint-Clément de **Saint-Lactencin** et en l'église Notre-Dame de **la Champenoise** où se cache un petit chapiteau roman illustrant la scène de Daniel dans la fosse aux lions.

Poursuivant notre recherche des églises romanes de l'Indre, notre itinéraire nous conduira à **Ecueillé**, où l'ancienne église construite sur la route de Luçay-le-Mâle présente un portail du XIIe ; l'église romane Notre-Dame de **Faverolles** attirera, quant à elle, par ses beaux vitraux.

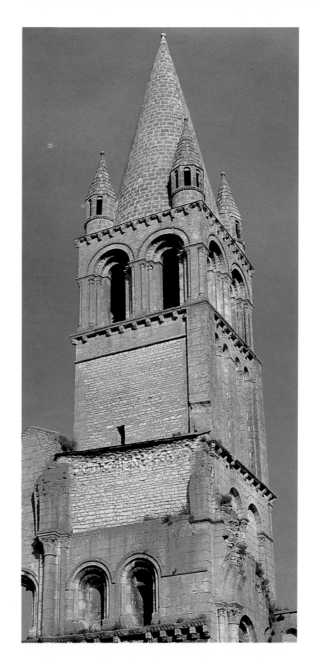

▲

Clocher de l'abbaye de Déols (Cl. Daniel Bernard).
Déols abbey clock tower.
Der Kirchturm der Abtei von Déols.

Fondée en 1079 par Pierre de L'Etoile, l'abbaye de **Fontgombault** se dresse sur la rive droite de la Creuse. Gravement endommagée au cours des temps, une restauration débuta à la fin du XIXe siècle. Son portail d'une grande richesse en fait l'un des attraits majeurs.

Construite en calcaire dans un pays granitique, la petite église de **Gargilesse** (XIe-XIIe) possède l'un des plus beaux ensembles de chapiteaux du Berry (animaux fantastiques, oiseaux symboliques). Sa crypte est décorée de fresques et son bas-côté renferme le gisant de Guillaume de Naillac, appelé localement Saint-Gueurluchon.

Chapiteaux romans à Niherne (Cl. Daniel Bernard).
Romanesque capitals in Niherne.
Romanische Säulenknäufe in Niherne.

▼

▲

Porche de l'église de Vineuil (Cl. Daniel Bernard).
The entrance to Vineuil church.
Der Eingang von Vineuil.

Dans le Boischaut du sud, les petites églises rurales de **Lacs**, **la Berthenoux**, **Verneuil-sur-Igneraie**, **Nohant** avec son célèbre porche rustique, et **Vicq** méritent un détour. Saint-Martin-de-Vicq possède un ensemble de fresques remarquables évoquant la Cène et de nombreux récits bibliques. Non loin de là, à **Thevet-Saint-Julien**, les parois de l'église de l'ancienne paroisse de Saint-Martin sont décorées de fresques représentant Saint-Jacques, Saint-Thomas et des vieillards de l'Apocalypse.

On ne peut traverser le sud de l'Indre sans visiter l'église fortifiée de **Lourdoueix-Saint-Michel**, classée monument historique et qui, à ses éléments romans, ajoute une porte d'entrée avec contreforts, machicoulis et tourelles : "les parties hautes de la façade ouest

Portail de l'église romane d'Ecueillé (Cl. CAUE).
Portal of the Romanesque church in Ecueillé.
Eingangspforte der romanischen Ecueillé kirche.

*Chapiteau roman illustrant la scène de Daniel dans
la fosse aux lions.Eglise de la Champenoise.
(Cl. Daniel Bernard).
Romanesque capital portraying Daniel in the
lions den.
Die Szene von Daniel in der Löwengrube ist auf den
romanischen Säulenknäufen illustriert. Die Kirche
von la Champenoise.*

*Abbaye de Fontgombault. (Cl. Alain Nevière).
Fontgombault abbey.
Fontgombault Abtei.*

sont l'équivalent d'un élément de courtine de forteresse médiévale. On suppose que cette façade était reliée à d'autres ouvrages de défense qui formaient l'enceinte aujourd'hui disparue du bourg de Lourdoueix". (Pierre Glédel. *Eglises de l'Indre*).

De style roman, la petite église de **Lye**, charmant village aux confins de l'Indre et du pays de Saint-Aignan, possède un chœur et une abside du XIIe siècle. Son porche latéral constitue un intérêt supplémentaire.

A **Méobecq**, l'ancienne église abbatiale (XIe-XIIe) renferme quelques fresques et des chapiteaux aux motifs corinthiens. De nombreuses maisons construites autour de l'église conservent des vestiges de l'abbaye de Méobecq.

Non loin de **Mérigny** dont l'église possède des éléments datant du XIIe siècle, la chapelle de **Plaincourault** s'orne de fresques du XIIIe siècle.

Fondée au XIe par Eudes de Déols de retour des croisades, placée sous le vocable de Saint-Jacques-le-Majeur, patron des pèlerins, la basilique de **Neuvy-Saint-Sépulcre**, construite sur le modèle du Saint-Sépulcre, est unique en son genre. En l'an 1257, le cardinal Eudes de Châteauroux, légat du Pape, envoya trois gouttes du Précieux sang du Christ, origine d'un pèlerinage qui se déroule chaque lundi de Pâques.

Classée monument historique en 1847, l'église fait l'objet d'une restauration dirigée par de Mérindol et Viollet-le-Duc. "En 1923, pour remplacer l'ancien clocher supprimé en 1899, l'architecte en chef Mayeux édifia, entre la basilique et la rotonde, un clocher-peigne à trois arcades que sa discrétion ne rend pas pour autant logique en terre berrichonne (...). L'ancienne collégiale de Neuvy regroupe deux monuments bien distincts : une église de plan basilical comprenant une nef accompagnée de bas-côté, dépourvue de

◀ *Eglise fortifiée de Lourdoueix-Saint-Michel*
(Cl. Alain Nevière).
Fortified church in Lourdoueix-Saint-Michel.
Eine Festungskirche in Lourdoueix-Saint-Michel.

◀◀ *Eglise abbatiale Saint-Pierre à Méobecq. (Cl. CAUE).*
Saint Peter's abbey-church in Méobecq.
Die abteiliche Saint-Pierre Kirche in Méobecq.

Portail plein cintre de l'église de Paulnay.
(Cl. Alain Nevière).
Arched portal to Paulnay church.
Rundbogenportal der Paulnay Kirche. ▶

Rotonde de Neuvy-Saint-Sépulchre
(Cl. Alain Nevière).
Rotunda in Neuvy-Saint-Sépulchre.
Rotunde von Neuvy-Saint-Sépulchre.
▼

transept et terminée par un chevet plat, et une église de plan circulaire composée d'une rotonde qu'entoure un déambulatoire annulaire surmonté de tribunes ouvrant sur la partie centrale". (Jean Favière. *Berry Roman*).

Unique en France, cette rotonde comporte onze colonnes surmontées de chapiteaux ornés de feuillages, d'animaux ou de personnages.

A **Paulnay**, le remarquable portail de l'église Saint-Etienne, d'influence poitevine, précède une nef ornée de fresques dont un calendrier des mois. D'autres peintures murales du XIIe siècle, représentant notamment la Vierge en majesté, décorent l'ancienne église Saint-Laurent de **Palluau**.

Sous celle de **Reuilly** (XIe et XIIe), une crypte de l'époque mérovingienne est encore visible tandis qu'à **Roussines**, certaines fresques évoquent les sept péchés capitaux.

Le promeneur avide d'art roman pourra en outre visiter l'église romane du Prieuré Saint-Alpinien de **Ruffec**, celles de **Saint-Benoit-du-Sault** dont la cuve baptismale est en granit du XIIe siècle et de **Saint-Gaultier** datant du XIe qui nous fut léguée sans trop de modifications.

A **Saint-Genou**, une église du XIIIᵉ siècle, semblable sur beaucoup de points à celle de Saint-Benoit-sur-Loire, possède de nombreux chapiteaux et le tombeau de Saint-Genou.

*Collégiale Saint-Silvain de Levroux
(Cl. Daniel Bernard).
Saint-Silvain's collegiate church in Levroux.
Saint-Silvain Stiftskirche von Levroux.*

Saint-Marcel offre au visiteur son église prieurale du XIIᵉ siècle qui domine les hauteurs de son clocher en bardeaux de châtaignier. Un portail à deux rangées de voussures ornées de motifs géométriques variés et un important *trésor* constituent avec les stalles Renaissance les principales richesses du monument. La Châsse dite de Saint-Marcel (XIIᵉ) décorée de médaillons en émaux de l'école de Limoges révèle de véritables artistes.

Datant du XIIᵉ siècle, l'édifice roman de **Segry** se signale par la richesse des décorations extérieures tandis que de celui de **Vouillon** ne subsiste que la *Galilée*. Dans ce type de construction, dont il ne reste qu'une vingtaine en France, se tenaient les fidèles qui n'étaient pas admis dans le sanctuaire. Ce long périple à travers l'Indre a permis d'en retrouver les principales richesses romanes. Force est de constater que beaucoup d'églises n'offrent plus leur aspect originel.

D'autres vestiges de l'art religieux médiéval subsistent dans la région : outre les abbayes bénédictines déjà citées (Déols, Fontgombault, Méobecq...), les restes de six abbayes cisterciennes, toutes propriétés privées, attestent de la présence de l'ordre de Citeaux dans les campagnes berrichonnes. Si Aubignac (**Mouhet**) a disparu, Barzelle (**Poulaines**), la Colombe (**Tilly**), le Landais (**Frédille**) sont partiellement conservées. La localisation de l'abbaye de la Prée, fondée en 1141 sur la commune de **Segry**, et celle de Varennes à **Fougerolles**, dans des endroits isolés, rappellent la vie humble des moines cisterciens défricheurs, aspirant à une vie plus austère que les Bénédictins.

46

La visite de tous ces sanctuaires ruraux montre que le Bas-Berry fut imperméable à l'art gothique, à l'exception de la collégiale Saint-Silvain de **Levroux** bâtie à la fin du XIIe ou au début du XIIIe siècle. Avec ses nombreuses chapelles, ses statues de bois polychrome, son buffet d'orgues de l'époque gothique, ses cinquante-deux stalles installées par Jean Cœur, frère du grand Argentier, son grand clocher et son imposant portail figurant le Jugement Dernier, c'est l'un des beaux édifices religieux de la région.

D'autres curiosités qui se rencontrent au hasard d'une promenade prouvent que l'Indre dispose d'un patrimoine historique et architectural à valoriser. Les transformations de certains sanctuaires, ou de pièces de mobilier d'un grand intérêt, datent de l'époque moderne tout en s'inspirant du style de la Renaissance ou de la période classique. Ainsi l'église Sainte-Madeleine de **Mézières-en-Brenne** (XIVe-XVIe), voûtée en bois, déco

rée de vitraux du XIVe siècle est connue pour une chapelle édifiée au XVe par la famille d'Anjou, alors propriétaire de Mézières.

Saint-Saturnin de **Poulaines** a subi de nombreuses modifications à cette époque : si la nef date du XVe siècle, de belles boiseries et quinze stalles de bois, provenant des abbayes de Barzelle et de la Vernusse, sont postérieures. L'édifice se remarque par son clocher de forme bien bizarre.

Signalons d'autres éléments architecturaux qui méritent une visite : la piété de **Sainte-Lizaigne** (XVIe s.) ou le maître autel de l'église de **Parnac** d'aspect baroque (XVIIe siècle). Mais maints villages recèlent d'autres véritables trésors : au visiteur de les découvrir...

Eglise rustique de Villegongis (Cl. Daniel Bernard).
Rustic church in Villegongis.
Die ländliche Kirche von Villegongis.

Erigés sur le haut d'une colline ou blottis au fond d'un vallon, les très nombreux châteaux de l'Indre témoignent aussi de la richesse architecturale de la région.

Jusqu'au XVe siècle, l'esprit guerrier influence la construction des bâtisses qui progressivement perdront leur aspect de forteresse. Quelques donjons du XIe et XIIe siècles subsistent sur les lignes stratégiques de l'époque (vallées de Creuse, de l'Indre ou de la Bouzanne). A Brosse, le donjon du château, édifié sur un site pittoresque de la commune de **Chaillac**, daterait du XIe siècle.

◄ *Donjon de Prunget surplombant la Bouzanne (Cl. Daniel Bernard).*
Prunget keep overlooking the Bouzanne.
Der kirchturm überrogt die Bouzanne.

Château de Palluau (Cl. Alain Nevière).
Palluau château.
Die Burg von Palluau. ▼

Ceux de Mazières et de Prunget (sept étages) au bord de la Bouzanne, celui de **Châtillon**, les vestiges de **Palluau** dont la tour fut bâtie au XIIᵉ siècle, la forteresse de **Villentrois**, ou la tour Gazeau à **Pouligny-Saint-Martin**, restent des vestiges de cette architecture défensive médiévale.

Du XIIIᵉ siècle, datent les forteresses de **Bonnu** et de **Sainte-Sévère**, le donjon de Romefort, la Prune-au-Pot à **Ceaulmont** qui hébergera plus tard Henri IV lors du siège d'Argenton, une partie du château du Bouchet ou Sarzay.

Construite par la famille de Barbançois, la forteresse de **Sarzay**, avec son donjon à quatre tours, comprenait un mur d'enceinte flanqué de trente-huit tours.

Certaines villes offrent de beaux exemples d'architecture militaire et défensive. Commencée pour le compte de Richard Cœur-de-Lion, la Tour Blanche d'**Issoudun** fut achevée sous le règne de Philippe Auguste au XIIᵉ siècle. Témoin de la lutte entre Capétiens et Plantagenêts, cet édifice, de 27 mètres de haut et de 15 mètres de diamètre, fut le symbole de l'autorité du roi de France dans la région.

La Porte de Champagne de la ville de **Levroux**, les maisons de bois de la place du Marché de **la Châtre**, celle de **Levroux** datant du XVᵉ siècle, restent des témoins tardifs de l'architecture urbaine médiévale.

Donjon de Châtillon (Cl. Alain Nevière).
Châtillon keep.
Der Burgturm von Châtillon.

▼

Au XVe siècle furent édifiés la plupart de nos châteaux berrichons ; évidemment beaucoup furent modifiés et restaurés dans les siècles suivants. Citons **Argy**, remis en valeur par le club du Vieux Manoir, le porche du Breuil Yvain à **Orsennes** et ses deux tourelles, le château Raoul à **Châteauroux** construit par Guy III de Chauvigny, Forges à **Concremiers** propriété de Jehan Le Poix échanson de Charles VII, la Rocherolle à **Tendu**, le Mée-Menou de **Pellevoisin**, le Petit Broutet qui se mire dans les eaux de la Bouzanne à **Pont-Chrétien**, le Plaix-Jolliet à **Lourdoueix-Saint-Michel**, l'Isle Savary à **Clion**, propriété des Buade de Frontenac qui reçut la visite de Mademoiselle de Montpensier, l'Ormeteau de **Reuilly**, ancienne commanderie de l'Ordre du Temple, les châteaux de **Lys-Saint-Georges** (XIVe-XVIe) ou de **Saint-Chartier**...

L'ouvrage de Pierre Glédel "Châteaux de l'Indre" constituera un guide indispensable et nécessaire pour découvrir ce patrimoine.

Les siècles suivants nous ont légué de belles et prestigieuses constructions qui conservent encore la mémoire de leurs hôtes illustres.

Comment ne pas évoquer ici Charlotte d'Albret et César Borgia ? Epouse de ce sinistre personnage depuis 1499, elle achète le château de la **Motte-Feuilly** en 1504 où elle se retire en 1507 y élevant sa fille Louise Borgia. Elle y meurt en 1514.

La Tour Blanche : cœur du vieil Issoudun
(Cl. CAUE).
The "White Tower" in the heart of the old town of Issoudun.
Der weiße Turm im Herzen von Alt-Issoudun.

Tours ruinées du château de Levroux
(XIIIᵉ-XVᵉ siècles) (Cl. Daniel Bernard).
Remains of the towers of Levroux castle
(13th-15th Century).
Die Turmruinen der Levroux Burg.

Dans la petite église paroissiale du village, son tombeau de marbre et son gisant du plus beau style Renaissance accusent l'injure des temps et l'oubli.

Evoquant la floraison artistique de la Renaissance, Jean-Pierre Surrault observe qu'à "l'écart des grands axes touristiques, notre région du Bas-Berry n'a pas vu les chefs-d'œuvre qu'elle recèle atteindre la notoriété qu'ils mériteraient (...). Disséminées de l'Anglin au Nahon, nombre de ces réalisations sont du plus grand intérêt et prouvent que les grands courants artistiques animaient ce pays comme le reste du royaume. Au regard du foyer originel du Val de Loire, les grandes œuvres architecturales de la Renaissance sont ici assez tardives, postérieures à 1535. Elles s'inspirent fortement des modèles ligériens, voire des réalisations de l'Ile-de-France". (*l'Indre, le Bas-Berry de la préhistoire à nos jours*).

Du château de **Veuil**, construit à partir de 1519 par Jean Hurault, ne subsistent que des vestiges, la destruction de l'édifice ayant débutée dès la Révolution.

Mais non loin de là, le château de **Valençay**, perle du pays de Gâtine, témoigne de la richesse de son histoire et de la splendeur de son architecture.

Vers 1540 sur les restes d'une ancienne demeure féodale, Jacques d'Etampes commence la construction de l'actuel château. Quel fut l'architecte de cet édifice inspiré de Chambord ? Philibert de l'Orme, Jean de l'Espine ?...

Château de la Motte-Feuilly (Cl. Alain Nevière).
Motte-Feuilly château.
Die Motte-Feuilly Burg.

▲

Saint-Chartier, le Château des Maîtres-Sonneurs
(Cl. Alain Nevière).
Saint-Chartier, château of the "Maîtres-Sonneurs".
Das Schloß Saint-Chartier von den
"Maîtres-Sonneurs".

Le Petit-Broutet se mirant dans la Bouzanne à
Pont-Chrétien (Cl. Daniel Dufour).
The Petit-Broutet reflected in the Bouzanne at
Pont-Chrétien. ▶
"Le Petit-Broutet" spiegelt sich in der Bouzanne
in Pont-Chrétien.

Ancienne porte de ville quadrangulaire dite Porte
de Champagne à Levroux (Cl. Alain Nevière).
◀ *Ancient gate in Levroux known as the*
Champagne gate.
Das ehemalige Stadtportal, genannt "Porte de
Champagne" in Levroux.

Vestiges du château de Veuil (Cl. Gilles Couagnon).
◀◀ *The remains of Veuil château.*
Ruinen der Burg von Veuil.

L'Isle-Savary à Clion (Cl. CAUE).
Isle-Savary in Clion.
L'Isle-Savary in Clion.

A l'ensemble, constitué par le donjon, la tour de l'Ouest et la Galerie italienne de l'époque Renaissance, fut adjointe la grande façade classique de la Cour d'Honneur. Dans son bel ouvrage "Valençay, Palais d'Europe", François Bonneau, actuel conservateur des lieux, nous conte l'histoire de chaque ensemble où plane encore l'âme de Charles-Maurice de Talleyrand-Périgord qui acheta Valençay en 1802 au comte de Luçay, préfet des Palais Consulaires.

Cet édifice où s'allient renaissance et classicisme devient alors la demeure du grand diplomate. De 1808 à 1814, les Princes d'Espagne en exil trouvèrent à Valençay une *prison dorée*. Puis, amis, admirateurs du Prince et hôtes de marque y affluèrent. A la mort de Talleyrand, le château passe à son neveu Louis de Talleyrand-Périgord, duc de Valençay et de Sagan, prince de Chalais.

Depuis 1980, le Conseil général de l'Indre, le Crédit Agricole, la Caisse mutuelle de réassurance agricole et la ville de Valençay, unis en une même association propriétaire des lieux, en assure la gestion et l'animation. "L'aménagement intérieur est aussi remarquable que l'architecture du château, écrit François Bonneau dans les *Châteaux du Berry*. Entièrement et somptueusement meublé - le style empire de la meilleure époque y domine - il garde beaucoup d'objets d'art et de souvenirs de Talleyrand. De nouveaux appartements sont ouverts au public ; peintures et vestiges de la Renaissance ont été mis à jour ; la restauration des communs, offices, caves et du petit théâtre élevé pour la distraction du Roi d'Espagne ajoutent à l'intérêt de la visite".

Situé à une quinzaine de kilomètres au nord de Châteauroux, construit entre 1530 et 1574 sur les fondations d'un édifice médiéval, le château de **Villegongis** rappelle Chambord par la richesse de sa décoration et

D'autres châteaux berrichons retiennent aussi l'attention du touriste. Celui d'**Azay-le-Ferron** permet de comparer divers styles architecturaux : du XVe siècle date la grosse tour, du XVI siècle le pavillon François 1er, du XVIIe l'aile d'Humières et du XVIIIe le pavillon de Breteuil. En 1926 est édifiée une galerie qui relie le bâtiment principal à une aile latérale de l'époque Louis XVI. Riche en mobiliers et œuvres d'art, Azay-le-Ferron appartient depuis 1833 à la famille Luzarche d'Azay. L'un des derniers occupants, Alfred Luzarche, fut louvetier et veneur réputé dans la région. En 1952, Mme Hersent-Luzarche fit don de la propriété à la ville de Tours.

Château de Valençay (Cl. Alain Nevière).
Valençay château.
Das Valençay Schloß.

Villegongis : un joyau de la Renaissance en Berry (Cl. Alain Nevière).
Villegongis : a Renaissance treasure in the Berry.
Villegongis : Ein Meisterwerk der Renaissance in Berry.

▼

ses incrustations d'ardoises sur les façades, les cheminées monumentales ou les tours. Rien d'étonnant si l'on sait que "l'architecte qui présida aux travaux fut, d'après de nombreux auteurs, Pierre Neveu, dit Trinqueau, qui de 1524 à 1538, fut l'un des principaux "maîtres d'œuvres" de Chambord. Ceci explique de nombreux détails qui, à Villegongis, rappellent Chambord : les cordons de moulures qui soulignent les étages, les fenêtres et les lucarnes couronnées de frontons très saillants, les nombreuses incrustations d'ardoises découpées avec une grande variété, les coquilles qui suivent les corniches et surtout les cheminées d'une incomparable ornementation" (Baronne de Montesquieu. *Les châteaux du Berry*).

Si l'Indre possède quelques beaux édifices de l'âge classique, beaucoup de châteaux et manoirs furent remaniés, reconstruits aux XVIIe et XVIIIe siècles (le Courbat au **Pêchereau**, le Bouchet en Brenne, le Breuil-Yvain sur la commune d'**Orsennes**...). Quelques édifices du classicisme berrichon méritent le détour : à **Reuilly**, le château de la Ferté-Gilbert, construit par Mansart au XVIIe siècle, se mire dans un canal alimenté par la Théols. A **Pellevoisin**, le Poiriers-Montbel édifié au XVIIIe siècle fut jadis possédé par la famille de Montbel. Son architecture rappelle celle de Saint-Senoch de Varennes en pays tourangeau.

◄
Le Courbat au Pêchereau (Cl. CAUE).
Le Courbat at Pêchereau.
Le Courbat in Pêchereau.

La Ferté à Reuilly (Cl. Alain Nevière).
La Ferté near Reuilly.
La Ferté in der Nähe von Reuilly.
▼

Mais le fleuron de l'architecture classique lo-cale revient incontestablement à **Bouges**. Au XVIe siècle, la terre de Bouges appartenait à Catherine de Médicis ; en 1759, la famille d'Alleaume la vendit à Charles-François de Marnaval. Ce riche maître de forges de Clavières, propriétaire de la manufacture royale du Parc à Châteauroux, fait remplacer l'ancien château par une belle construction à l'italienne, attribuée à Jacques-A. Gabriel, qui n'est pas sans rappeler le petit Trianon. "L'édifice, très simple dans sa conception, est surmonté d'une terrasse. Sa façade est axée sur un avant-corps que surmonte un fronton triangulaire, à la mode antiquisante de l'architecture classique (...). Quant au parc à la française, entouré d'un paysage à l'anglaise, il a été conçu et réalisé dans la se-conde moitié du XIXe siècle. Un adorable jardin bouquetier complète l'ensemble" (Genevière Maldent. *Les Châteaux du Berry*).

*Baldaquin dans le chœur de l'église de Saint-Août
(Cl. Daniel Bernard).
Baldachin in the choir of Saint-Août's church.
Altarhimmel im Chor der Saint-Août Kirche.*

▶

*Château de Chabenet près de Pont-Chrétien
(Cliché CAUE).
Chabenet château near Pont-Chrétien.
Die Chabenet Burg in der Nähe von
Pont-Chrétien.*

Vendu en 1789 à la famille de la Rochedragon, puis en 1818 au prince de Talleyrand, le château de Bouges est acheté en 1917 par Henri Viguier qui entreprit d'y rassembler meubles et objets d'art faisant aujourd'hui la renommée des lieux. Les écuries, la sellerie, les nombreuses voitures hippomobiles et les souvenirs d'équipage de Henri Viguier donnent un attrait supplémentaire à l'ensemble. Les jardins remarquablement entretenus et le parc permettent en outre de découvrir un havre de paix aux confins de la Champagne et du Boischaut.

Construit par Martin Bouchet, l'Hôtel Bertrand de **Châteauroux**, actuel musée de la ville, reste un autre témoignage architectural du XVIIIe siècle. On pourrait aussi s'attarder vers **Vicq-sur-Nahon** où sur une colline boisée dominant un étang, s'élève le château en pierres blanches de la Moustière reconstruit en 1770. Il fut la propriété de Alexandre-François Godeau de la Houssaye, seigneur de Vicq, d'Entraigues et de la Moustière qui l'acheta en 1781. Futur administrateur du département de l'an III et sous le Directoire, Godeau d'Entraigues, issu d'une famille originaire de Touraine, établit sa fortune au XVIIIe siècle grâce à l'exploitation de forges berrichonnes et tourangelles.

Avant de quitter le XVIIIe siècle, une dernière visite s'impose à **Saint-Août**. Remonté en 1987 dans le chœur de l'église paroissiale, le baldaquin de l'église des Cordeliers de Châteauroux reste aujourd'hui le plus riche témoignage de l'art religieux baroque du département. Il aurait été offert au couvent des Cordeliers en 1612 par le Grand Condé. Devenu autel de la Patrie sous la Révolution, la couronne des Bourbons supportée par des angelots disparaît alors. Orné des symboles et des couleurs de la Révolution, il devint le cœur des fêtes républicaines organisées dans le temple décadaire des Cordeliers.

Des grandes restaurations du XIXe siècle, nous retiendrons le château de Chabenet édifié sur la commune du **Pont-Chrétien** au bord de la Bouzanne et celui de Château-Guillaume à **Lignac**. Pièce maîtresse de la défense aquitaine contre les Capétiens, la forteresse de Château-Guillaume possède un donjon roman du XIe, agrandi au XIIIe siècle.

La tradition rapporte qu'Aliénor d'Aquitaine y serait née... Passant aux mains de la Maison de la Tremoille, puis aux familles Gouffier, Chabot et Lafaire, l'imposant édifice appartient aujourd'hui à la famille de Beauchamp. "Dès le milieu du XVIIIe siècle et plus encore au XIXe, à part le donjon, le corps de logis et la tour de Trémoille, tout l'ancien château fut complètement ruiné et sa restauration ne semblait pas pouvoir être tentée. Ce fut l'honneur de la Comtesse de Beauchamp, née Marie-Mathilde de Lanet, et de ses deux fils, de relever les murs en ruine de trois tours et de deux remparts. On ne sait s'il faut plus admirer la restauration du château dans un état voisin de ce qu'il était au XIIIe siècle, ou le donjon roman, peut-être unique par sa taille, son ancienneté, la pureté de son style et son parfait état de conservation". (Comte Louis de Beauchamp. *Les Châteaux du Berry*).

Construits pour les notables au XIXe siècle (parfois au début du XXe siècle) la plupart des gentilhommières, des manoirs ou des châteaux (**Langé**) édifiés en style néo-gothique, renaissance ou classique et encore visibles au détour d'un chemin ou d'un bosquet restent aujourd'hui des propriétés privées qui ne se visitent pas.

Château Guillaume à Lignac (Cl. CAUE).
Château Guillaume near Lignac.
Die Guillaume Burg in Lignac.

Du XIXᵉ siècle datent aussi quelques constructions d'églises néo-gothiques (Saint-André à **Châteauroux**. 1876) ou romano-byzantines (église Notre-Dame de Châteauroux. 1882).

Témoignant du travail des hommes et du génie des ingénieurs de la seconde moitié du XIXᵉ siècle, quelques beaux ouvrages d'art ferroviaire en pierres, tels les viaducs du **Blanc**, de **Cluis** ou de **Chabenet**, enjambent la Creuse, l'Auzon ou la Bouzanne.

▲ *Château de Langé (Cl. CAUE).*
Lagné château.
Das Schloß von Langé.

Consacrée en juillet 1876, l'église Saint-André de Châteauroux est appelée improprement "cathédrale"...
(Cl. Daniel Bernard).
Consecrated in July 1876, Saint-Andrew's church in Châteauroux is improperly described as a cathedral.
Die Saint-André kirche von Châteauroux, eingeweiht im Juli 1876, wird fälschlicherweiße ars kathedrale bezeichned. ▶

Viaduc sur la Creuse au Blanc (Cl. Daniel Bernard).
Viaduct over the Creuse at Blanc.
Das Viadukt auf dem Creuse au Blanc. ▼

Sur la commune du **Pont-Chrétien**, un curieux pont couvert de bois, jeté sur la Bouzanne à l'époque de la construction du viaduc de Chabenet, est unique dans le département. De semblables édifices auraient existé au Canada...

Statue de la République édifiée en 1891 à Issoudun
(Cl. Daniel Bernard).
Statue of the Republic erected in 1891 in Issoudun.
Die Republik Statue wurde 1891 in Issoudun errichtet.

Monument aux morts de la guerre de 1914-1918 à Buzançais. Sculpture d'Ernest Nivet
(Cl. Daniel Bernard).
1914-1918 war memorial in Buzançais, sculpted by Ernest Nivet.
Ein Denkmal für die Gefallenen von 1914-1918 in Buzançais. Die Skulptur ist von Ernest Nivet.

Dans l'Indre, peu de monuments de la fin du XIXe siècle ont été édifiés à la gloire de la République : il faut cependant citer la belle statue de la République érigée à **Issoudun** en 1891, réplique d'une œuvre de Jean-François Soitoux qui se trouvait à Paris sur la place de l'Institut.

Monument aux morts édifié près de la Préfecture de Châteauroux. Sculpture d'Ernest Nivet (Cl. Daniel Bernard).
War memorial erected near Châteauroux prefecture.
Das Totendenkmal wurde Nahe bei der Prafektür in Châteauroux errichtet.

Expression typiquement française de la mémoire collective, les monuments aux morts font aujourd'hui partie intégrante de notre patrimoine. En 1897 fut inauguré sur la place Gambetta à **Châteauroux** celui dédié à la mémoire des morts de la guerre 1870-1871, réalisation du sculpteur Raoul Verlet et de Tournaire, architecte de la ville de Paris. De cette œuvre que l'on voit aujourd'hui dans la perspective du building années cinquante qui a remplacé (!) l'ancien théâtre castelroussin se dégage une symbolique républicaine et patriotique typique de la fin de siècle.

Le Journal du département de l'Indre du 3 octobre 1897 ne manquait pas d'insister sur ce caractère : "sur le piédestal, figurant une tourelle, la France guide vers les combats un jeune volontaire qui porte d'une main une épée gauloise et de l'autre le drapeau de la nation. En arrière du monument, assise sur le socle auprès d'une gerbe de blé et de fleurs des champs, une petite Berrichonne semble attendre le fiancé parti vers la frontière et qui ne reviendra pas...".

Aujourd'hui encore, les anciens appellent cette Berrichonne, *la Petite Fadette*... Ne sommes-nous pas dans le pays de George Sand ?

Le grand sculpteur berrichon Ernest Nivet (1871-1948), élève de Rodin, réalisera des monuments dans lesquels il fera passer la souffrance de la femme, mère ou épouse, face aux atrocités de la guerre. Inauguré en 1900 sur la place des Jeux de **Buzançais**, le monument dédié à la mémoire des morts du canton montre une Berrichonne effondrée, écrasée par la douleur, pleurant la tête posée au creux de son bras droit replié.

Celui d'**Issoudun** (1911) traduit le désespoir d'une mère en présence du cadavre de son fils. A **la Châtre** (1923), la mère pleure sur la dépouille de son enfant.

Dûs aux ciseaux de Nivet, les deux monuments castelroussins reprennent ces thèmes chers au sculpteur : sur le monument de la place de la Préfecture, deux femmes revêtues de la capiche de deuil pleurent (1932) et sur l'édifice de la place Lafayette (1937), dont l'architecture est due à Varaine et Laprade, une mère sanglote sur la poitrine de son fils amputé. D'autres sculptures de Nivet présentent le Poilu réfléchissant sur la guerre et ses atrocités (monuments de **Levroux**, 1922 ; monument d'**Eguzon**, 1923).

*   *

*

A TRAVERS VILLES ET
BOURGADES DU BAS-BERRY...

Châteauroux : une ville au bord de l'Indre
(Cl. CAUE).
Châteauroux, a town on the banks of the Indre.
Châteauroux : Eine Stadt am Ufer der Indre.

Complétant les pages précédentes où le visiteur a découvert de nombreux sites, le petit guide alphabétique qui va suivre propose de l'entraîner vers les bourgades, les gros villages ou les chefs-lieux de canton, là où le tourisme se nomme diversité.

Mais à tout seigneur, tout honneur... Commençons notre périple par les deux grands centres urbains du département, **Châteauroux** et Issoudun, qui à eux deux concentrent 27,2 % de la population du Bas-Berry.

Elevée au Xe siècle par Raoul le Large, prince de Déols, la forteresse de Château-Raoul donna son nom à la future ville. Installée au bord de l'Indre, la cité ancienne se découvre à travers des rues pittoresques conservant des éléments architecturaux intéressants.

Non loin de l'église Saint-Martial dont le clocher-porche date de la Renaissance, le couvent des Cordeliers accueille, depuis sa restauration, des expositions et des artistes de renommée internationale (Imaï, Jan Voss, Hans Hartung, Mathieu...). Découvrons en outre les célèbres collections napoléoniennes du Musée Bertrand, ses ensembles archéologiques de grande valeur (Déols, Saint-Ambroix...) et ses collections de peintures (XVe au XXe siècles) remarquables.

Dotée d'une antenne universitaire, peuplée de 50 880 habitants en 1990, Châteauroux se transforme et mise sur son avenir. Le développement de l'aéroport de Châteauroux-Déols et des activités annexes sera vraisemblablement déterminant. Premier centre industrialisé du département, la ville concentre aussi la plupart des établissements du secteur tertiaire.

▲ *Entrée du Couvent des Cordeliers*
(Cl. Daniel Bernard).
Entrance to the Cordelier Convent.
Der Eingang des Cordeliers Klosters.

d'Amour, ou de la Porte aux Bœufs... Sans oublier l'impasse Ah ! Ah ! et la rue du Pousse-Pénil !...)

Balzac qui séjourna au Château de Frapesles, chez son amie Zulma Carraud en 1834, 1835 et 1838, place à Issoudun l'intrigue de son roman *La Rabouilleuse*.

Installé dans l'ancien Hôtel-Dieu, le musée Saint-Roch permet de faire un voyage dans le patrimoine local et de retrouver le passé issoldunois. Les arbres de Jessée (XVe siècle), les bâtons de confrérie et l'apothicairerie du XVIIe et XVIIIe siècles en demeurent les pièces maîtresses.

Le long de l'Indre divers sites ont été aménagés : au cœur de la ville, le complexe de Belle-Isle allie nature, calme et activités sportives.
Festivals, manifestations, expositions nombreux et variés font de Châteauroux et d'Issoudun les pôles culturels de la région.
Puissante place forte convoitée par Philippe Auguste et Richard-Cœur-de-Lion au Moyen-Age, **Issoudun** fait figure de ville pittoresque avec ses nombreux vestiges du passé : la célèbre Tour Blanche, le beffroi des XII-XVe siècles, l'église Saint-Cyr, l'hospice Saint-Roch, le pont Saint-Paterne et les quartiers anciens où le visiteur retrouvera des noms évocateurs (la rue du Puits-y-Tasse, celles des Quatre Bâtons, du Bat-le-Tan, des Champs

"Châteauroux new-look"... (Cl. Daniel Bernard).
"Châteauroux new-look".
"Châteauroux new-look". ▼

Dans cette ville au riche passé, les complexes sportifs, culturels et de loisirs (piscines à vagues, bowling, patinoire, centre dramatique) ainsi que les entreprises performantes qui s'y sont installées montrent que le dynamisme existe au cœur de la Champagne berrichonne. Prospérité dont s'enorgueillit la seconde ville du département (13 853 habitants en 1990).

▲

Au centre de la ville d'Issoudun... (Cl. CAUE).
Issoudun town centre.
Im Stadtzentrum von Issoudun.

Eglise Saint-Cyr à Issoudun (Cl. Daniel Bernard).
Saint-Cyr's church in Issoudun.
Die Saint-Cyr Kirche in Issoudun. ▶

67

A la limite des terroirs berrichon et marchois, la bourgade d'**Aigurande** se niche dans une campagne vallonnée où l'élevage reste l'activité essentielle. De là, le regard embrasse le pays creusois que l'on découvre sur la route de Lourdoueix-Saint-Michel. A un kilomètre et demi au nord du chef-lieu de canton, la Bouzanne prend sa source dans la clairière d'une ancienne châtaigneraie. Et chaque année pour le mardi de Pentecôte, le pèlerinage à Notre-Dame de la Bouzanne attire de nombreux fidèles.

Installées depuis le XVIe siècle sur les rives de l'Indre, les forges de Clavières avaient fait la renommée de la commune d'**Ardentes**. Pays natal de Stanislas Limousin, l'inventeur des ampoules hypodermiques, l'antique Alerta possède de charmants châteaux (Clavières, XVe et XIXe siècles ; Bonnet et Villejovet). Une stèle érigée en souvenir de Joseph Fleuret (1886-1976), dernier corne-museus traditionnel du Berry, rappelle que nous sommes dans le pays des maîtres sonneurs de vielle et de musette célébrés par George Sand.

De la terrasse de la Chapelle de la Bonne-Dame, **Argenton** se découvre d'un seul coup d'œil. Des toits de tuiles et d'ardoises des maisons enchevêtrées le long de la Creuse capricieuse, émergent les clochers de l'église Saint-Sauveur et de la chapelle Saint-Benoît. Dans le quartier du Vieux Pont, des maisons à galeries pittoresques, quelques moulins, une petite chapelle se mirent dans la rivière. N'a-t-on pas parlé de Venise du Berry !...

La Creuse à Argenton (Cl. Alain Nevière).
The Creuse at Argenton.
La Creuse bei Argenton.

Carrefour commercial et touristique, Argenton est aussi la capitale de la chemiserie depuis les années 1860. Non loin de là, au **Menoux** vit le peintre sculpteur Jorge Carrasco qui décora de fresques modernes l'église de ce village implanté dans un ancien pays viticole.

Dans la vallée de l'Anglin, entre les bois de Paillet et des Tailles, **Bélâbre** est le point de départ de nombreuses excursions (chapelle de Jovard XIIᵉ siècle, châteaux de la Gastevine, des Tardets et du Puyrajoux ; grottes de Monthaud au bord de l'Anglin vers **Chalais**, lanterne des morts près de **Mauvières**...).

Eglise du Menoux décorée de fresques modernes exécutées par le peintre et sculpteur Jorge Carrasco (Cl. Alain Nevière).
Menoux church adorned with modern frescos by the painter and sculpter Jorge Carrasco.
Die Kirche von Menoux ist mit modernen Fresken von dem Maler und Bildhauer Jorge Carrasco dekoriert.

Bélâbre (Cl. Alain Nevière).
Bélâbre.
Bélâbre.

Le Blanc (Cl. Alain Nevière).
Le Blanc.
Le Blanc.

Chef-lieu d'arrondissement peuplé de 7 343 habitants, bâti sur les deux versants de la Creuse, **le Blanc** reste une ville carrefour aux confins des anciennes provinces berrichonne, poitevine, tourangelle et limousine. Animée chaque premier dimanche de septembre par la fête des Bons Saints, la ville haute abrite désormais l'écomusée de la Brenne et du pays blancois installé dans le château de Naillac. S'impose aussi une visite au musée des Amis du Blanc et de sa région qui se donne pour mission de préserver le patrimoine populaire local. L'église Saint-Cyran, la terrasse de la Creuse, les maisons du XVe siècle dans la Grand'Rue méritent qu'on s'y attarde avant de découvrir l'église Saint-Génitour, le viaduc terminé en 1886 et les activités commerciales de la ville basse. Peut-on recommander meilleur guide pour visiter cette

ville où le peintre Soutine séjourna en 1926, 1927 et 1928 que le livre de Madame Lucienne Chaubin "*Le Blanc, vingt siècles d'histoire*" ?

Non loin de là, au petit village d'**Ingrandes** près de l'Anglin, il faut visiter la maison où le navigateur aventurier Henri de Monfreid passa la fin de sa vie.

Construite de part et d'autre des rives de l'Indre qui méandre dans les prairies, **Buzançais**, l'ancienne place forte ruinée pendant la Guerre de Cent Ans, offre au touriste un voyage dans le passé avec ses vieilles rues étroites, sa chapelle Saint-Lazare bâtie au XIIe siècle, son prieuré Sainte-Croix, son pavillon des Ducs (XVIe-XVIIe siècles) et ses quelques moulins. Les constructions des années cinquante (mairie, poste...) rappelleront au promeneur les heures tragiques du passé buzancéen (destruction d'août 1944, incendie de l'église Saint-Honoré) et la période de reconstruction de ce quartier durement éprouvé. Non loin de la ville, le site de l'étang Baron propose, sur une quinzaine d'hectares, des activités de loisirs.

Ville la plus septentrionale du département, située en pays de Bazelle aux portes de la Sologne, **Chabris** aurait accueilli Jeanne d'Arc et Louis XI en pèlerinage à l'oratoire Saint-Phalier. Sur les rives du Cher et du Fouzon de nombreux sites agréables attirent baigneurs et pêcheurs. L'été, l'ancienne Vicaria Carbriacensis s'anime lors de fêtes à caractère historique (fête 1900, tournois médiéval...) qui attirent des milliers de spectateurs.

Entre Allemette et Anglin, la petite bourgade de **Chaillac** connaît un essor depuis l'exploitation de ses mines de barythine et de fluorine, l'un des plus grands gisements français. Un atout supplémentaire pour cette région non dépourvue d'attrait touristique.

A **Châtillon-sur-Indre**, construite sur un éperon calcaire, des vestiges du XIIᵉ siècle rappellent l'influence des comtes d'Anjou (donjon, collégiale Saint-Aoustrille...). Non loin de la ville, les environs ne manquent pas de centres d'intérêt : le village médiéval de **Palluau**, la campagne pittoresque de **Cléré-du-Bois** ou de **Fléré-la-Rivière**, ou la fête de la Chasse et de la Nature à **Saint-Cyran-du-Jambot**.

Brûlée en 1152 par Louis VII, occupée par les Anglais en 1360, prospère au XVIᵉ siècle, romantique à l'époque d'Aurore Dupin, la petite ville de **la Châtre** surprend encore par sa maison pointue, sa maison de bois du XVᵉ et XVIᵉ siècles (rue du Marché, place Laisnel de la Salle), ses ponts rustiques près des anciennes tanneries (pont des Cabignats, pont aux Laies), son puits gothique (rue Notre-Dame) ou la Fontaine Sainte-Radegonde.

L'Indre à La Châtre (Cl. Daniel Bernard).
The Indre at La Châtre.
Der Fluß Indre in La Châtre.

Non loin de l'hôtel de Villaines, la statue de George Sand par Aimé Millet (1884) perpétue la mémoire de la romancière. Installé dans le donjon du château, le musée George Sand et de la Vallée Noire conserve des souvenirs de l'écrivain et des hôtes de Nohant, un riche fonds de folklore régional et des collections ornithologiques.

Autour de la Châtre, des circuits touristiques permettent de retrouver les sites évoqués dans les romans de George Sand. Sur les pas de l'illustre romancière, on admirera la Vallée Noire du panorama de Corlay, les poteries dans le village de **Verneuil** où elle fit la connaissance de Jules Sandeau, le château des Maîtres Sonneurs à **Saint-Chartier**

*Le moulin d'Angibault à Montipouret
(Cl. Daniel Bernard).
Angibault mill in Montipouret.
Die Angibault Mühle von Montipouret.*

qui revit chaque année autour du 14 juillet avec un festival international de musique traditionnelle, les restes de la Mare au Diable dans les bois de Chanteloube à **Mers-sur-Indre**, le village de **Montipouret** décrit dans François le Champi, le moulin d'Angibault et le donjon de **Sarzay**, le château des Beaux Messieurs de Bois Doré à **Briantes** ou la tour Gazeau à **Pouligny-Saint-Martin**.

Sur le circuit de Chavy, non loin de **la Châtre**, une école de pilotage automobile propose aux fervents de vitesse de retrouver l'ivresse des grandes compétitions...

Séparé de Châteauroux par le cours sinueux de l'Indre, **Déols**, l'ancien Bourg-Dieu, est aujourd'hui la troisième ville du département avec 8 399 habitants. Outre son abbaye romane, quelques éléments du patrimoine architectural urbain méritent qu'on s'y attarde : la grosse porte de l'Horloge édifiée au XVe siècle, celle du Pont-Perrin au bord de l'Indre, les vestiges de l'église Saint-Germain ou le tombeau de Saint-Ludre.

Conservé dans une crypte mérovingienne de l'église Saint-Etienne de Déols (XIIe, XVe, XVIe siècles) le sarcophage dit de Saint-Ludre (fils d'un sénateur romain), sculpté vers 275 par un atelier du midi de la Gaule dans le marbre blanc, offre un décor de scènes de chasse (au lion, au cerf, au sanglier...) et de sculptures représentant un repas funéraire. Autrefois, les mères faisaient passer leurs enfants sous ce tombeau pour qu'ils soient préservés de la fièvre...

Tombeau de Saint Ludre. Crypte de l'église Saint-Etienne de Déols (Cl. Daniel Bernard). Saint-Ludre's tomb. The crypt in Saint-Etienne de Déol's church. ▶

Construite entre Berry et Touraine, **Ecueillé** reste un centre d'accueil agréable, point de départ d'excursions vers Valençay, mais aussi vers le pays tourangeau, Montrésor ou Loches.

Chef-lieu de canton, **Eguzon-Chantôme** exploite plusieurs atouts : nature, tourisme et activités sportives pratiquées sur le lac Chambon.

Dans la région, nombreux sont les points de vue et les sites reposants : les gorges sauvages de la Vallée de la Creuse séduisent artistes peintres et promeneurs attirés aussi par les ruines de Crozant, le pont des Piles et le pont Noir. Des rives abruptes de la boucle du Pin, enserrée entre des coteaux boisés, se découvre la petite église rustique de Ceaulmont dont la flèche semble coiffer la vallée. En son temps, George Sand avait été charmée par la beauté des lieux. Décrivant la région dans *Promenades autour d'un village*, elle notait : "dans une brisure d'environ 200 mètres de profondeur, revêtue de roches sombres et de talus verdoyants, coule rapide et murmurante la Creuse aux belles eaux bleues rayées de rochers blancs et de remous écumeux"...

Aux confins de la Champagne du Berry et du Boischaut du nord, **Levroux**, l'antique Gabatum, conserve maints vestiges de l'époque médiévale ou moderne : les tours féodales sur la colline dominent la ville blottie autour de la collégiale Saint-Silvain, édifiée non loin de la belle porte de Champagne (XVe-XVIe siècles) et près de la Maison Saint-Jacques dite Maison de bois (XVIe siècle).
Dans cette cité parcheminière et mégissière, des établissements spécialisés travaillent encore les peaux, et le Musée du cuir et du parchemin valorise l'histoire et les techniques artisanales de ces activités traditionnelles.

▲

La Vallée Noire vue de Corlay (Cl. Daniel Bernard).
Black valley seen from Corlay.
Das "schwarze Tal". Vom Ausblick Corlay.

Eglise du petit village de Ceaulmont (Cliché CAUE).
The church in the small village of Ceaulmont.
Die Kirche des kleinen Dorfes Ceaulmont.

◄

Est-il besoin de présenter **Nohant**, le plus célèbre des villages berrichons, qui accueillit dans la demeure de George Sand la plupart des célébrités du XIXᵉ siècle : Liszt, Chopin, Delacroix, Balzac, Flaubert, Pauline Viardot, Tourgueniev, Théophile Gautier, Alexandre Dumas fils et tant d'autres ? Une visite au château de la romancière s'impose. Au détour de chaque escalier, près de chaque objet, sa présence diaphane semble accompagner à chaque pas le visiteur. Après avoir rêvé dans le théâtre des marionnettes et s'être attardé dans les pièces de la demeure, il ne

manquera pas de terminer sa visite par un pèlerinage à la tombe de notre illustre écrivain
berrichon qui depuis 1876 repose près du ci-
metière villageois. Non loin de l'église rustique précédée de sa guenillière et de l'ancienne place aux ormeaux, la maison des
Gâs du Berry résonne bien souvent des airs
de musettes et de vieilles joués par les des-
cendants des Maîtres sonneurs... Chaque
année, *la fête au village* anime ce haut lieu
des traditions populaires.

Entre Buzançais et Ecueillé, au bourg de
Pellevoisin plane encore le souvenir de
Jean Giraudoux et de George Bernanos.
Le premier y fréquenta l'école primaire alors
que son père était percepteur et le second y
repose depuis 1948. Aujourd'hui le village
est encore fréquenté par les pèlerins qui vé-
nèrent Notre-Dame de Miséricorde, sur les
lieux où en 1876 la servante Estelle Faguette
eut des apparitions de la Vierge.

▲

*Vue sur la collégiale Saint-Silvain de Levroux
(Cl. Daniel Bernard).
View of Saint-Silvain's collegiate church in Levroux.
Blick auf die Stiftskirche Saint-Silvain in Levroux.*

Le Poinçonnet, cité en pleine expansion,
reste le point de départ privilégié de promenade en forêt domaniale de Châteauroux. Ce
grand massif porte encore les traces d'une
longue occupation humaine (vestiges du château du Maine, motte de l'ancien château de
la Motte, prieuré de Grammont ou restes de
l'ancienne église paroissiale de Lourouer-les-
Bois, chef-lieu de la commune jusqu'en
1874).

Célèbre et réputé, **Reuilly** l'est surtout pour
son vignoble dont l'appellation remonte à
1937. Vins de plus en plus prisés, les Reuilly
secs, vigoureux et fruités flattent les palais
des amateurs les plus avertis. Traversée par

◄

*Les fervents d'escalade peuvent satisfaire leur
passion aux environs de Mérigny sur les versants
sauvages de l'Anglin (Cl. Alain Nevière).
Rock-climber's paradise on the rugged banks
of the Anglin.
Kletterfans können ihrem Hobby in der Umgebung
von Mérigny, auf den wilden Abhängen des
Anglin nachgehen.*

l'Arnon, la commune renferme d'autres trésors : l'église Saint-Denis, le château de la Ferté-Gilbert ou les tours de l'Ormeteau, siège d'une ancienne commanderie de templiers attestée dans les sources dès 1136. Après la dissolution de l'ordre du Temple, l'Ormeteau échoit aux Hospitaliers de Saint-Jean de Jérusalem.

Ville médiévale classée, **Saint-Benoît-du-Sault** édifiée sur un éperon rocheux surplombant un étang formé par une retenue d'eau du Portefeuille, propose au visiteur des panoramas sur la vallée du Portefeuille et le coteau de Montgarnaud. Des circuits pédestres en font découvrir les alentours, et la

Ancienne église de Lourouer-les-Bois dans le massif forestier de Châteauroux (Cl. Daniel Bernard).
The ancient church of Lourouer-les-Bois in the forest-clad aera of Châteauroux.
Die ehemalige Kirche von Lourouer-les-Bois im bewaldeten Massif von Châteauroux.

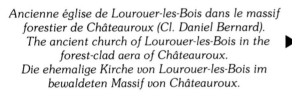

▲ *Saint-Benoît (Cliché Alain Nevière).*
Saint-Benoît.
Saint-Benoît.

vieille ville avec son portail (XVᵉ-XVIᵉ s), ses maisons, ruelles et places pittoresques, son prieuré bénédictin dépendant autrefois de l'abbaye de Fleury-sur-Loire, s'anime à la belle saison.

Le pays de **Saint-Christophe-en-Bazelle**, parcouru par le Fouzon et le Nahon, reste une région verte et calme qui se découvre grâce à de nombreux chemins communaux. La forêt de la Vernusse (538 hectares) apparaît aujourd'hui comme une futaie régulière de chênes sessiles, peuplée aussi de quelques résineux, de hêtres, charmes et chênes pédonculés.

Célèbre autrefois pour ses grandes foires aux bestiaux, la bourgade de **Saint-Denis-de-Jouhet**, serrée près de son clocher trapu en granit, se cache dans une région vallonnée, bocagère et boisée. Découverts au détour d'un chemin creux, les châtaigniers attestent d'anciennes formes d'économie rurale.

◄ *La Foire de Saint-Louis à Rosnay reste l'une des plus grandes manifestations rurales du Centre de la France (Cl. Alain Nevière).*
The traditional Saint-Louis agriculturas show in Rosnay remains one the largest of its kind in central France.
Die Saint-Louis Messe in Rosnay bleibt eine der gröpten, ländtichen Märkte im Zentrum Frankreichs.

Traversé par la Vauvre, ce pays de légendes peut sembler mystérieux... Sur le chemin de Jouhet à Fougerolles, dans un vallon, le carrefour des demoiselles aux pelles d'argent, situé au lieu-dit les Eaux de Jouhet, rappelle une vieille légende : en pleine nuit, une dizaine de jeunes filles magnifiquement vêtues y dansaient en rond. Fatiguées de danser, elles creusaient alors la terre avec des pelles d'argent...

Bâtie dans un site pittoresque sur les rives de la Creuse, **Saint-Gaultier** (Rochelibre à l'époque révolutionnaire) conserve des traces de ses anciennes fortifications, des vestiges du château de Condé, des restes du château de Lignac, dont la tour dite La Prison où la Grande Mademoiselle aurait été enfermée, et l'ancien prieuré qui se mire dans les eaux de la Creuse. Dans cette région où les fours à chaux et les carrières étaient nombreux, une Maison de la chaux sera établie : les fruits de la recherche menée par les associations et les chercheurs locaux, en relation avec l'éco-musée de la Brenne et du pays blancois, seront ainsi concrétisés.

En pleine Champagne berrichonne, la petite commune de **Saint-Valentin**, seul village au monde à porter le nom du Saint patron des amoureux, s'anime chaque année lorsque des milliers de visiteurs, dont des délégations venues de nombreux pays, participent à la grande fête de l'amour.

Au sud-est du département, **Sainte-Sévère** s'est installée à une dizaine de kilomètres de la source de l'Indre. L'historien local, Jean Gaultier qui œuvra en son temps pour la promotion du tourisme dans notre département présentait ainsi la cité : "(près du ruisseau de Palles), une abbesse de Trèves nommée Sévère vint, au VIIe siècle, fonder un monastère de religieuses. La chapelle Sainte-Gemme ou Sainte-Jame, dernier vestige de cet établissement, a disparu au siècle dernier. Les reliques de Sainte-Sévère, qui furent apportées au XIe siècle, sont conservées dans l'église Saint-Martin, consacrée en 1876 (...).

◄
Saint-Gaultier au bord de la Creuse
(Cl. Alain Nevière).
Saint-Gaultier on the banks of the Creuse.
Saint-Gaultier am Ufer der Creuse.

Place de Sainte-Sévère (Cl. CAUE).
Sainte-Sévère square.
Der Sainte-Sévère Platz. ▼

Fête paysanne de Mosnay : un conservatoire des gestes d'antan (Cl. Daniel Bernard).
Village fête in Mosnay : where traditional customs live on.
Das Dorffest von Mosnay.

Une porte fortifiée du XVe siècle, de vieilles halles du XVIIIe, une croix Renaissance, de vieilles maisons aux toits de tuiles du faubourg Saint-Martin, un reste de la Tour (XIIIe) du château féodal ont vu bien des sièges historiques de Louis VI Le Gros aux Ligueurs, en passant par Du Guesclin qui délivra la ville de l'occupation anglaise en 1372".

Aujourd'hui, tous les cinéphiles connaissent Sainte-Sévère : c'est là qu'en 1947, le réalisateur Jacques Tati tourna "Jour de Fête", un des grands classiques du cinéma français.

Dans les campagnes de **Tendu-Mosnay** persistent les réminiscences d'un fait divers local qui épouvanta la région en juillet 1878. Quelques anciens racontent encore l'épopée de ce loup enragé, qui, au terme d'une randonnée meurtrière à travers cette région habituellement si calme de la vallée de la Bouzanne, mordit une cinquantaine d'animaux domestiques et maltraita sept personnes dont deux périrent enragées. Le souvenir d'Eugène-Louis Foulatière, le *tueux*

d'loups qui débarrassa la contrée de ce sinistre animal marque toujours la mémoire collective... En partant sur les traces du loup, le promeneur trouvera de charmants sites vers Prunget, Mazières et tout au long de la Bouzanne.

Chaque premier dimanche d'août, il pourra, s'il est en quête de ressourcement, flâner à **Mosnay** où les habitants avec un grand souci d'authenticité reconstituent des scènes de la vie paysanne et artisanale (fauchaille, battage, travail du charron ou du scieur de long...). En reprenant les costumes et les coiffes du début du siècle, en perpétuant les gestes d'antan, jeunes et anciens de la commune se retrouvent autour de leurs racines.

En présence de milliers de personnes, la fête se termine par le *berlot des moissons* au son des vielles et des cornemuses...

Un séjour à **Tournon-Saint-Martin**, station d'accueil entre Touraine, Poitou et Berry, permet de visiter les ressources touristiques d'une région proche de la Brenne, des vallées de la Creuse et de l'Anglin. Angles-sur-l'Anglin, le château de Lurais, l'abbaye de Fontgombault et la région de Mérigny où se pratique l'escalade attirent les visiteurs qui sillonnent la contrée.

Au nord du département, non loin de la sauvage et mystérieuse Sologne, le charmant village de **Varennes-sur-Fouzon** mérite qu'on s'y attarde. Quelques édifices tels la chapelle de l'Epinat (XIIe s.), le château de Préblame (XVIIIe s.) et celui de la Borde (XIXe s.) ne sont pas dénués d'intérêt.

Partout dans le village et dans ses environs semblent résonner les vers du poète local Raoul Coutant (1895-1975) qui chanta son Berry avec amour. Varennes et le Fouzon furent des lieux qui l'inspirèrent tout au long de sa vie : "Apercevez ce bourg voilé plus qu'aux trois quarts
Sous le clocher dardant sa flèche souveraine...
C'est le pays natal, c'est notre beau Varennes,
Habillé de feuillage et qui, riant, s'assied
Près du Fouzon tordu comme un ruban d'acier"...

La famille des Talleyrand marqua de son empreinte la ville de **Valençay**. Le Prince, qui repose dans l'ancienne chapelle des Sœurs

La gare de Valençay : l'une des plus belles de France (Cl. Alain Nevière).
Valençay station : one of the finest in France.
Der Bahnhof von Valençay ist einer der schönsten Frankreichs.

de Saint-André, fit élever un clocher, imité de celui de Vevey en Suisse, à l'église Saint-Martin (XVe-XIe siècles).

A la fin du XIXe siècle, le duc de Valençay, conseiller général du canton, participa activement à l'élaboration de la ligne de chemin de fer du Blanc à Argent (le fameux B.A.), cédant des terrains et participant au financement des travaux de construction de la gare, réalisée en 1902 dans le style renaissance par l'architecte parisien F. Houssin. "Entièrement construit en pierre de taille, orné de sculptures, d'encorbellements et de cheminées rappelant ceux de la demeure princière, cet édifice est probablement l'un des plus beaux bâtiments-voyageurs ayant jamais existé sur un chemin de fer secondaire. Et de nos jours, c'est certainement la plus belle gare métrique de France !" n'hésitent pas à écrire Geoffrey Nickson et Eric Martin dans leur ouvrage consacré au chemin de fer du Blanc à Argent. Tous les étés, des fêtes historiques animent la ville de Valençay et le château sert de cadre à de nombreux spectacles son et lumière

Chaque été sous la direction du metteur en scène Jean-Claude Baudoin, spectacles historiques ou féériques animent le château de Valençay (Cl. Alain Nevière).
Every summer, Jean-Claude Baudoin, the producer, organises historical or magical shows to bring Valençay château to life.
Jeden Sommer finden, unter der Leitung des Regisseurs Jean-Claude Baudoin, historische oder feenhafte Theaterstücke im Schloß von Valençay statt.

créés par le metteur en scène Jean-Claude Baudoin, avec le concours de la population de la région. Tous les spectacles (*Valençay, prison dorée* ; *Roméo et Juliette* ; *la reine Margot* ; *la Belle Captive* et la *Belle et la Bête* à partir de 1991) ont mis en valeur le cadre prestigieux du "plus berrichon des châteaux de la Loire".
Avant de quitter les lieux, il faut visiter le musée de l'automobile aménagé dans un local du parc du château. Propriété des frères Guignard, cette collection, de plus de quatre-vingts pièces, présente des modèles exceptionnels comme la Limousine Renault des Présidents Pointcaré et Millerand.

L'Epinat : un coin agréable au pays des Gâtines
de Valençay... (Cl. Gilles Couagnon).
L'Epinat : a peaceful spot in the Gâtine forest
near Valençay...
L'Epinat ist ein niedlicher Ort in der Gegend von
Gâtines de Valençay.

Aux portes de la Champagne berrichonne, dans une zone de contact entre deux régions naturelles, **Vatan** connut la prospérité au XVIIIe s. avec la construction de la route royale de Toulouse à Paris. Des ruelles pittoresques bordées de maisons des XVIIe et XVIIIe siècles conduisent à l'église collégiale Saint-Laurian, à la maison de la Chantrerie (XVIIe s.) ou à la halle du XVIIIe siècle.

Si les grandes foires des années 1900 où l'on proposait à la vente jusqu'à 2.000 chevaux ont disparu, Vatan demeure aujourd'hui une ville marché non négligeable dans une région rurale où existent encore de charmants villages rustiques (Aize, Paudy, Ménétréols et

Guilly où Ferdinand de Lesseps s'installa au milieu du XIXe siècle, dans le château de la Chesnaie).

Tout au long de l'histoire, les hommes laissèrent de nombreuses empreintes à **Vendœuvres**, troisième des communes rurales françaises par sa superficie. Haches en bronze, bas-relief gallo-romain représentant le dieu Cernunnos, nombreux châteaux (Lancosme fin XVe ; château Robert XVe-XVIe ; Brèves, Bauché, Verneuil au XIXe) et les anciens établissements et habitations liés aux forges de la Caillaudière en sont les jalons. En forêt de Lancosme, le pèlerinage à la chapelle Saint-Sulpice se maintient tandis que l'étang de Bellebouche attire baigneurs et amateurs de voile.

C'est à **Villedieu**, ville du Val de l'Indre en plein essor, que des sportifs se retrouvent dans un parc de 60 hectares, sur un parcours international de golf de 18 trous. Mais le golf public de Châteauroux-Villedieu n'est pas le seul de l'Indre puisque celui des Sarrays (9 trous) à Sainte-Fauste, celui du parc de Loisirs des Champs d'Amour à Issoudun et celui installé dans le complexe des Dryades à Pouligny-Notre-Dame (golf international de 18 trous, parcours compact 9 trous) sont de plus en plus fréquentés par des adeptes souhaitant allier détente, sport et découverte de la nature.

*　　*

*

Grange à porteau caractéristique du Boischaut du Sud (Cl. Daniel Bernard).
Barn typical to the Southern Boischaut.

▼

ARCHITECTURE RURALE, ARTS ET TRADITIONS POPULAIRES

Nombreux sont les témoins de l'architecture rurale dans ce département du Bassin Parisien situé sur les marges du Massif Central et dans lequel les influences des pays voisins furent variées.

Gîte du paysan et centre de l'exploitation agricole, la maison rurale diffère selon les terroirs berrichons. Construite avec les matériaux tirés du sous-sol local, elle est bâtie en calcaire dur (Champagne berrichonne) ou tendre (vers **Villentrois** ou **Lye**), en grès rouge (Brenne), en granit ou en schiste dans les communes du Boischaut avoisinant la Marche.

En sillonnant les campagnes berrichonnes, le promeneur rencontrera de nombreux ensembles d'architecture traditionnelle : tous

Ferme à Buxières d'Aillac (Cl. Daniel Bernard).
A farm in Buxières d'Aillac.
Ein Bauernhof in Buxières d'Aillac.

les bâtiments d'habitation et d'exploitation (granges, étables) s'ordonnent autour d'une cour ouverte au milieu de laquelle trônaient jadis le tas de fumier et une mare servant d'abreuvoir. Typiques aussi apparaissent les petites maisons de journaliers à un seul niveau d'habitation surmonté d'un grenier carrelé. Autrefois, on y accédait grâce à une échelle constamment dressée le long de la façade.

Elément central de l'exploitation agricole, la grange offre des formes architecturales caractéristiques. En Boischaut du sud principalement les granges à porteau dominent. L'espace créé par l'auvent servait d'aire à battre et d'abri pour les charrettes à foin. Souvent, de part et d'autre de ce porteau, des appentis abritent la volaille et les porcs. En Champagne, les granges à murs hauts datent du milieu du XIXᵉ siècle, tandis que celles présentant des murs bas, avec parfois une entrée sur le pignon, sont plus anciennes.

Dans la locature comme dans la maison du journalier, la grange plus modeste s'intègre dans le corps même du bâtiment.

En Boischaut Nord, la technique du pan de bois et l'utilisation du torchis perdurent jusqu'au début du XXᵉ siècle dans la construction des maisons paysannes, rappelant ici les techniques utilisées dans la Sologne toute proche.

Çà et là en la Champagne du Berry, subsistent encore quelques loges ou *culs de loups*, couverts de chaumes ou de brandes. Mais ces constructions traditionnelles qui servaient de remise deviennent malheureusement de plus en plus rares.

Le patrimoine ethnologique du Bas-Berry reste riche. Si les coutumes et les anciennes rites se sont transformés, si les costumes régionaux ont disparu, des groupes folkloriques ou des associations d'art et tradition populaires travaillent sur le terrain pour sauvegarder les éléments de la tradition paysanne. Par leurs recherches, leurs expositions, leurs publications et leurs spectacles, ces groupes défendent et valorisent chacun à leur façon la culture populaire dont la plupart de leurs membres sont issus. Défense d'une identité ? Attachement à ses racines ? Ou tout simplement prise de conscience de l'importance de ce Patrimoine ?

Coiffe ronde du pays de Valençay. La Guérouée de Gâtines (Cl. Daniel Bernard).
Typical headdress from Valençay.
Eine Mütze aus der Gegend von Valençay. ▶

Locature aux environs de Crozon et Saint-Denis-de-Jouhet (Cl. Daniel Bernard).
Locature near Crozon and Saint-Denis-de-Jouhet.
Locature in der Nähe von Crozon und Saint-Denis-de-Jouhet. ▼

Diffusant cette culture d'expression paysanne dont ils sont dépositaires, **La Rabouilleuse** d'Issoudun, **la Guérouée de Gâtines** de Valençay, **les Tréteaux du Pont-Vieux d'Argenton**, **Les Gâs du Berry** de Nohant œuvrent avec leurs amis du Cher (**les Thiaulins de Lignières**, **Notre Berry**, **la Sabotée Sancerroise**, **les Forestins**) dans le même but : la sauvegarde de notre patrimoine ethnologique, élément fondateur de la culture régionale.

◄ *Porteau des environs de Fougerolles*
(Cl. Daniel Bernard).
Hayloft near Fougerolles.
Eine Pfotte in der Nähe von Fougerolles.

Grange vers Niherne (Cl. Daniel Bernard).
Barn near Niherne.
Ein Stall in der Nähe von Niherne. ▼

Fruit du travail de bénévoles ou d'associations, les musées d'art et traditions populaires ou les maisons à thème qui se sont créés dans la région (musée de la machine agricole à **Prissac**, musée de la pierre à fusil à **Luçay-le-Mâle**, musée de la Vallée de la Creuse à **Eguzon**...) participent à la même cause.

Costumes du milieu du XIXᵉ siècle. La Guérouée de Gâtines de Valençay. (Cliché Daniel Bernard).
Costumes from the mid 19th century.
Kostüme aus der Mitte des XIX Jahrhunderts. ▶

Culs de loup à Bretagne près de Levroux (Cl. Daniel Bernard).
Huts in Bretagne near Levroux.
"Culs de loups" die Hütten in Bretagne, Nahe bei Levroux. ▼

MILLE ET UNE FAÇONS DE DÉCOUVRIR L'INDRE

Cette approche de l'Indre a permis au lecteur d'en saisir toutes les richesses et d'en apprécier les ressources.

Découverte du milieu, circuits pédestres balisés, randonnées à cheval à travers le département, pratiques d'activités sportives (du golf aux sports nautiques), connaissance des patrimoines, participation aux festivals et manifestations culturelles, autant de possibilités pour connaître cette région du cœur de France.

Dans ce pays offrant de nombreuses possibilités d'accueil, les spécialités gastronomiques sont réputées (fromages de chèvre, vins gouleyants...) et les tables des restaurateurs réputées.

Les syndicats d'initiative et offices de tourisme, le comité départemental de tourisme de l'Indre diffusent une abondante documentation alors que sept grands circuits balisés permettent de connaître les principaux trésors du Bas-Berry. En parcourant le circuit George Sand, celui des châteaux et demeures illustres, celui des rives de la Creuse et de l'Anglin, celui de la Bouzanne et du Val de Creuse, celui du Val de l'Indre, la route de la Brenne et la ronde des Champs d'Amour, c'est plus d'un millier de kilomètres qui vous attendent.

Alors découvrez vite l'**Indre en Berry**, un département qui saura vous séduire par sa qualité de vie et ses charmes discrets. Après l'avoir visité, vous souhaiterez retrouver bientôt ce "pays des harmonies", situé à moins de deux heures et demie des trépidations parisiennes.

Daniel BERNARD
Décembre 1990 - Mars 1991

*　　*

*

*Hiver... Pré sous la neige à Brassioux
(Cl. Daniel Bernard).
Winter... Snow-covered pasture in Brassioux.
Winter ; ein schneebedeckies Feld in Brassioux*

Pour en savoir plus...

• *Val de Loire, Anjou, Touraine, Orléanais, Berry. Guide géologique régional.* Masson, 1976.

• *Les Châteaux du Berry* vus par leurs châtelains. La Nouvelle République, 1987.

• D. Bernard, G. Coulon, G. Devailly, J.-Y. Gateaud, J.-L. Girault, F. Michaud-Fréjaville, J.-P. Surrault et J. Tournaire : *L'Indre. Le Bas-Berry de la préhistoire à nos jours.* Bordessoules, 1990.

• Daniel Bernard : *Paysans du Berry.* Horvath. 1982.

• Pascal Blondeau : *L'Indre aujourd'hui.* CDDP de l'Indre. 1990.

• François Bonneau : *Valençay, palais d'Europe.* Châteauroux. 1990.

• Jean Favière : *Berry roman* - Zodiaque, 1970.

• Pierre Glédel : *Châteaux de l'Indre.* Nouvelles éditions latines.

• Pierre Glédel : *Eglises de l'Indre.* Nouvelles éditions latines.

• Jean-François Hellio et Nicolas Van Ingen : *Brenne, terre sauvage.* La Pommeraie, 1986.

• Alain Nevière : *L'aménagement rural : panacée ou utopie ?* Thèse du 3° cycle. Paris X. 1982.

• Geoffrey Nickson et Eric Martin : *Le chemin de fer du Blanc à Argent.* Editions du Cabri. 1989.

• Elisabeth et Jacques Trotignon : *Découvrir les étangs de la Brenne.* ACPNG, 1985.

• Christian Zarka : *l'architecture rurale française. Berry.* Berger-Levrault. 1982.

TABLE DES MATIERES